形體大師的心得（下）及香港形體劇發展多面睇

Mimes on Miming & Perspectives on Physical Theatre Development in Hong Kong

Mimes on Miming 編者：芭莉・羅夫 Bari Rolfe

譯著：一本・小雪

譯作者序

一本・小雪

《形體大師的心得：默劇藝術文匯（上）》在 2020 年中出版，「美國默劇的祖母」芭莉・羅夫（Bari Rolfe）女士精心編彙的二十世紀形體表演大師心得共四十三篇首次以中文面世。中文版更突破了原著的框架，提供二維碼連結，讓讀者在細味每位形體表演藝術家的文字分享時，有機會看到其表演片段，即時觀摩他們的形體表達方式。

這四十三篇其實只是原書的一部分。英文版本來以時間軸編排，選文始自古希臘及古羅馬，下溯歐洲十七世紀和十八世紀，繼而分別探討十九世紀的法國默劇及同期在英國及歐洲大陸的默劇發展。由於十九世紀的西方劇場，深深被其「發現」的各種東方劇場，特別是東方演出的整體劇場（total theatre）形式所吸引，羅夫女士特意選編了關於中國京劇、日本能劇和印度戲劇技巧的文章。更有趣的是，羅夫女士加入了「後記：反默劇」，讓我們聽聽那些不理解形體之美的文人雅士慷慨陳辭。

有別於原書從古到今的順序，我選擇把內容分作上、下集。上集的現代性讓讀者首先接觸熟悉的名字和流派：艾蒂安・德庫（Étienne Decroux）、賈克・樂寇（Jacques Lecoq）、馬塞・馬素（Marcel Marceau）、差利・卓別靈（Charlie Chaplin）等，並可觀看影像；下集由於年代久遠，沒有影片連結，卻充滿著栩栩如生、充滿現場感的畫面：八萬觀眾的古羅馬大劇院，中間搭起高台，正中獨站當時最火紅的默劇人，像不像二千年後的演唱會？當薩佛林（Séverin）滿懷敬愛之情，談起從查爾斯・德畢侯（Charles Deburau）而來的傳承，會不會喚起一點文化的使命感？當讀到尚・加斯柏・德畢侯（Jean-

Gaspard Deburau）[1]飾演的管家如何小心翼翼又恭敬地提供「殷勤而無動於衷的家居服務」，或許您也會像我，想像自己如果是那位可憐的高貴主人，邊笑邊心寒吧。

原著中，文章作者都假定讀者熟悉他們提及的哲人、名人和演員，故此單以姓氏、名字甚至是別名稱之。中文版補充了一些人物的全名及背景，雖然可能干擾原文行雲流水般的語境，但相信對中文讀者的理解有所幫助。我們另加入了介紹意大利即興喜劇角色的附錄，亦出於同一目的。

我給讀者的小建議是：如果你喜歡向各位近代形體大師取經，可從下集的「十九世紀」開始，再讀上集，之後才回到其他部分。如果你希望了解形體表演由古羅馬直至今天的演變（過程委實是峰迴路轉、扭盡六壬），大可順時序先讀下集第一部分，再讀上集，最後以下集第二部分作結。

關於香港表演藝術歷史，無論是話劇、粵劇、舞蹈，資料都相當豐富，但本地的形體表演如何發展、現況怎樣、將會往哪個方向走，似乎還沒有系統性的紀錄；另一方面，我相信由第三者整理的歷史，本質始終歸於學術性的理解；更能激發藝術工作者和資深觀眾的，是從藝術家自己的分享中感受他們如何找到內在、形體和世界的交接點。蒙香港藝術發展局提供項目計劃資助，我得以走訪十八位本地形體表演藝術家、形體訓練導師、導演以至把香港形體劇帶到世界各地的推動者，用十八個不同的視角，嘗試追溯從八十年代開始令人目不暇給的發展。

---

[1] 尚・加斯柏・德畢侯和查爾斯・德畢侯為父子，兩人名字在本書多次出現，故用德畢侯（尚・加斯柏）和小德畢侯（查爾斯）作區分。

本書的訪談在 2019 冠狀病毒疫情期間完成，部分需依靠視像會議或電郵往來，「研究團隊」基本上是自己一人。我謹向接受訪談邀請的藝術家致衷心謝意，他們每位都與我分享了大量的心得，包括他們如何在香港開創及推動形體表演；本地劇場和觀眾如何接觸及吸納形體；以及對年青藝術家有何建議等，總共超過十萬字。由於資源有限，我只能在本書採用一部分。為了不辜負他們的信任和無私分享，我已徵求受訪者同意，冀把訪談內容集合成一訪談錄出版，將形體劇的傳承和紀錄再推進一步。

這裡的訪談只包括部分香港形體表演藝術家。研究期間有好幾位都未能聯絡上，又或因種種原因未可對談。我期待不久將來有機會向他們請益。

能完成此書，我衷心感謝胡慧敏小姐、Nicole Shi 、陳國慧小姐和她的團隊的鼎力協助，我也要感謝香港藝術發展局的支持和霍達昭老師在漫長過程中不斷的鼓勵。如內容有不善之處，文責在我，我的聯絡電郵是 barirolfebooks@gmail.com，請大家不吝賜教。

編者序

陳國慧
國際演藝評論家協會（香港分會）總經理

在編製本書期間，香港即將要上演一套無言的，並且純粹以形體來演繹的莎士比亞悲劇作品。我期待這次極具意義的實踐，在如此一個需要思考語言的角色的時代，身體的可能性會令我們更有想像力。另一方面，我也在思考本地針對默劇和形體表演發展研究的資料其實相當有限，而出版《形體大師的心得（下）及香港形體劇發展多面睇》實在是很合時的。

本書的上冊在疫情期間的困難中出版，本書的譯作者一本・小雪在如此不容易的情況下繼續翻譯的工作，同時進行本地默劇和形體藝術家訪問和資料整理，即使我其實從來未試過編製一本已出版了上冊的書籍，我也認為，這挑戰值得嘗試。一本・小雪是一位很認真的譯作者，當我接到她的電話，進一步了解到她為翻譯這本書所付出的心力，和知道原來她已經接觸和訪問了接近二十位香港默劇和形體的實踐者和推廣者，並且著手整理這片可說是本地劇場和表演研究處女地的歷史，我是非常佩服她的視野和承擔。同時，我亦深知要好好把握這個機會，讓協會出版的項目，能夠首次包含與默劇和形體藝術有關的書寫。

其實，是我要感激她，讓國際演藝評論家協會（香港分會）能夠參與以中文出版這本在默劇和形體藝術發展歷史上極具重要性的專著，加上對照香港發展的當代面貌，我期望本書能為香港在這方面的研究澆水翻土，讓這花園繼續芬芳。

目錄

譯作者序	一本・小雪	2
編者序	陳國慧	5

第一部分：形體大師的心得（下）

希臘和羅馬默劇

綜論希臘和羅馬默劇	芭莉・羅夫 Bari Rolfe	13
談啞劇	盧坎 Lucian	17
皮拉德斯和巴提勒斯	約翰・韋發 John Weaver	20
羅馬的首演	查爾斯・赫士 Charles Hacks	23

十七世紀的默劇

綜論十七世紀的默劇	芭莉・羅夫 Bari Rolfe	33
兩齣神蹟劇	佚名 Anonymous	37
意式喜劇中的啞劇	保羅・葉普 Paul Hippeau	38

意大利的劇場	伊化力斯圖・格拉迪 Evaristo Gherardi	41
伊莉莎白時代的啞戲：高勃達克、 哈姆雷特、希律和安提帕特		43

亞洲的默劇

綜論亞洲的默劇	芭莉・羅夫 Bari Rolfe	46
一些虛擬動作	程修齡 Cecilia Sieu-Ling Zung	48
能劇的模仿	世阿彌元清 Motokiyo Zeami	52
印度戲劇技巧筆記	亞納達・庫馬拉斯沃米 Ananda Coomaraswamy	54

十八世紀的默劇

綜論十八世紀的默劇	芭莉・羅夫 Bari Rolfe	57
域殊的默劇	R・J・博彬 R. J. Broadbent	60
芭蕾啞劇	尚・喬治・諾維 Jean-Georges Noverre	62
啞劇觀眾	喬爾森・斯威夫特 Jonathan Swift	65
愛丁堡屠夫格斯古	佚名 Anonymous	66

十九世紀的法國默劇

綜論十九世紀的法國默劇	芭莉・羅夫 Bari Rolfe	70
德畢侯的白丑	西奧多・邦維爾 Théodore de Banville	73
如何聆聽啞劇	赫拉斯・貝爾丁 Horace Bertin	76
默劇人的回憶	勞柯・納雅克 Raoul de Najac	78
昨天與今天的白丑	保羅・瑪格麗特 Paul Margueritte	81
最後一個白丑	薩佛林 Séverin	83

十九世紀的英國和歐洲默劇

綜論十九世紀的英國和歐洲默劇	芭莉・羅夫 Bari Rolfe	86
格里馬爾迪	佚名 Anonymous	90
漢隆－利斯兄弟班的美國之旅	保羅・曉高力 Paul Hugounet	92
丹・雷諾	賈克・查爾斯 Jacques Charles	94
蒂沃利花園的啞劇劇團	朗奴・史密夫・威爾遜 Ronald Smith Wilson	96
關於啞劇	卡羅・布拉西斯 Carlo Blasis	99

後記：反默劇

綜論「反默劇」 芭莉・羅夫 Bari Rolfe 104

默劇演出 麥克斯・畢爾邦 Max Beerbohm 105

偉大的默劇人不再篤信他們的藝術 馬克・邦奇 Marc Blanquet 106

請高聲一點 活地・亞倫 Woody Allen 108

附錄一：意大利即興喜劇的常見角色 114

第二部分：香港形體劇發展多面睇

（作者：一本・小雪）

啞劇、默劇、形體劇場 118

戰前至八十年代的香港形體表演 122

四十年來形體劇在香港的發展初探 125

藝穗會——香港默劇的搖籃：謝俊興訪談 172

形體中與西：與粵劇名伶及跨媒介藝人謝雪心一席話 177

附錄二：1985 至 2020 年在藝穗會演出及由藝穗會主辦的形體劇 186

第一部分

— 形體大師的心得（下）—

希臘和羅馬默劇

外邦人對默劇人說：雖然您只有一個身體，但您有很多個靈魂。

— 盧坎 (Lucian)

羅斯訖（Roscious）向西塞羅（Cicero）證明，他的動作和啞劇跟西塞羅的雄辯滔滔同樣能觸動觀眾，甚至更勝一籌。

……鋼索上的舞者把我的話劇觀眾全搶走了……

— 泰倫斯 (Terence)

他生動的軀體向四方八面屈折
各式旋轉是我們
陶醉不已的眼睛的盛宴
他的頭、腳和忙碌的手指
成為了無言的演說家
讓我們看到他慷慨陳辭

— 儂努斯（Nonnus）

綜論希臘和羅馬默劇

芭莉・羅夫 Bari Rolfe

默劇從多個地方來到希臘。從埃及輸入的神秘劇和模仿舞蹈，與酒神戴歐尼修斯（Dionysus）的面具舞及讚歌混合起來。在公元前五世紀時，多利安默劇（Dorian mime）由被多利安人侵佔的麥加拉，經哥林多地峽進入希臘。

羅馬人在公元前四世紀時召來當時「國際聞名」（在地中海地區內）的伊特魯里亞默劇人（Etruscan mime）。這些鬧劇演員會隨著笛子跳出托斯卡尼風格的舞蹈，他們的樂曲、舞蹈和鬧劇對羅馬劇場有很大影響。從伊特魯里亞古墓上的裝飾可見，他們優雅迷人的演出出現於當時的葬禮，以高度規範的動作描述神話傳說。阿達命默劇人（Atellan mime）可能比伊特魯里亞的同行對羅馬劇場有更深遠的影響。他們來自意大利南部的拿坡里，以鬧劇馳名。羅馬戲劇吸收其有固定角色、從日常生活取材的簡短話劇，以及對歌唱、即興和諷刺的運用。除了演員之外，台上還有體操家、樂手、江湖術士、騙子、鋼線人、雜技人、魔術師、踩高蹺的和動物表演。在《面具、默劇與神蹟》（*Masks, Mimes and Miracles*）一書中，作者阿勒帝斯・尼哥爾（Allardyce Nicoll）總結這段時期：這場由麥加拉地區發起、南傳至埃及、西傳至意大利的龐大戲劇運動，其主要元素一直是真實的日常生活（有別於當時盛行的悲劇或英雄主題）。

啞劇的起源

羅馬默劇的起源有個流行的傳說：公元前 240 年發生在李維烏斯・安德羅尼庫斯（Livius Andronicus）身上的故事。根據傳說，這名既是詩人又是演員的安德羅尼庫斯公開朗誦自己的詩作，大受歡迎，頻密的朗誦令他失聲。他於是指派一名奴隸讀出詩句，自己則在台上無聲地演繹。故事聽起來很不錯，但並無憑據。歷史雖然含糊得令人著急，卻記載了在更早時期便已經有一種戲劇模式，就是以歌唱或朗誦伴以舞蹈或演戲表達的故事。根據《克羅威爾的古典戲劇大全》（*Crowell's Handbook of Classical Drama*），這類劇種在西西里島出現，再傳入希臘，於公元前三世紀來到羅馬，並且是異教儀式的起源。十八世紀的作家布朗施・李佛利（Boulenger de Rivery）在《歷史研究》（*Recherches Historiques*）一書中提到，第四時期（確切日期已無從稽考）的說話演員和以動作表達文字意思及情感的演員漸漸分成兩批。皮埃爾・路易・杜沙特（Pierre Louis Duchartre）在他的著作《意大利的喜劇》（*The Italian Comedy*）中描述，在多語言的羅馬帝國中流行無需台詞的演出。他更補充，當時的阿達侖鬧劇（Atellan farce）是不同場景的即興演出，常見的做法是一個演員讀誦，另一個演員演出故事。

尼哥爾指出，「啞劇」（pantomime）和這類無聲的鬧劇同時存在，他說的啞劇，是舞者隨著歌手或歌隊的唱詞或朗誦演出歌辭中的情景。舞者會按不同角色採用不同的面具，並以形體模仿角色（即是有啞劇的元素）。有時演員自己也會說台詞。啞劇的主題大多由神話或傳說而來，處理手法亦頗嚴肅，雖則當這些啞劇選演酒神的荒唐故事時，也會被稱為不雅。

希臘和羅馬的啞劇

在希臘，動作的藝術稱為「orchesis」。亞里士多德（Aristotle）曾經提及「模仿性舞蹈」（mimetic dance）。「Pyrrhic dance」是一種軍事式的啞劇，會按著音樂進擊和反擊，當其中一方被打敗，另一方便會高唱勝利。「Ethologue」，又稱「教養的描畫者」，是以啞劇作示範並教化人民。同期還有輕鬆搞笑的短劇、以酒神為主角的喜劇、高雅及悲劇性的舞蹈，以及露骨和醉生夢死的鬧劇。

羅馬人把啞劇推上高峰。採用的主題多樣化：由神話傳說的正統劇到胡鬧的滑稽劇都有，他們稱之為「saltation」，即舞蹈：把悲劇以舞蹈形式表達出來，就是演出啞劇。這類啞劇常是話劇的中段間場，或在全劇終結後上演的尾聲。舞者、歌者、啞劇藝人都是女性，不過教會後來禁絕女性參與。羅馬人高度重視動作藝術，他們訓練演說家和政治家的學校也是演員和默劇人肄業的地方。

當時的作家和哲學家也為這種動作藝術著迷。他們稱頌說：「這是奇妙的藝術，當舌頭沉默不語，它卻令肢體說話。」塞內卡（Seneca，公元前 55 年—公元 37/41 年）[1] 在這些喜劇中找到可堪玩味的意念。西塞羅（Cicero，公元前 106–43 年）大力推崇啞劇藝人，認為他們每個的指尖都長著舌頭。與此同時，其他批評者大力鞭撻啞劇的不雅動作。

獲奧古斯都大帝（Augustus）恩准自由的西西里島奴隸皮拉德斯（Pylades），以他嚴謹、悲劇式的演出風格聞名。他的對手也是一名重獲自由的亞歷山大城奴隸，名為巴提勒斯（Bathyllus），以其惹笑風格取勝。二人的劇迷往往針鋒相對，足見競爭有多激烈。他們的演出主題通常是神話故事。

不過，啞劇的政治彩數浮沉不定，時而受寵，時而被禁。皮拉德斯後來被奧古斯都大帝放逐。提庇留大帝（Tiberius）遏制私人表演。卡利古拉大帝（Caligula）把被放逐的藝人召回羅馬，後

---

[1] 編按：此為老塞內卡（Seneca the Elder），有資料指其卒年應為公元 39 年。參見：https://www.britannica.com/biography/Lucius-Annaeus-Seneca-Roman-author

來又趕走他們。圖密善大帝（Domitian）只准許私人演出，圖拉真大帝（Trajan）卻禁絕私人演出，跟著又恢復這種表演。尼祿大帝（Nero）也是如此。啞劇演員的命運隨著每位統治者的喜好上上落落，最終在公元 520 年銷聲匿跡。

不過，我們至少還知道該時期最後一位著名的啞劇人——東羅馬帝國君士坦丁堡的提奧多拉皇后（Theodora，公元 500–548 年）。她出身於馬戲團世家，自小演出啞劇、「擬定活圖片」（tableaux vivants）[2]和搞笑默劇。她因著其調皮大膽的性格，深受君士坦丁堡的多語言觀眾歡迎。她智慧高超，貌美如花，品格高尚——令她後來得以與丈夫查士丁尼大帝（Justinian I）以慈悲之心及智慧統治拜占庭城。

＊　＊　＊　＊　＊

羅馬帝國傾覆之後，「默劇女神」波麗海姆妮亞（Polymnia 或 Polyhymnia）隨著雜耍人、小丑和雜技人四處遊走，在公開及私人演出中繼續廣受歡迎。教庭屢次想禁制這些「不雅演出」，但不久之後，同一教庭又會需要默劇女神來活現宗教劇中的無言神秘場景。後來的文藝復興劇場，巡遊及中場演出更是少不了默劇女神的參與。

[2] Tableaux vivants，法文意思是「活的圖畫」，由一位或多位演員身穿戲服，在佈景中細心排位定格形成一個個場景。

談啞劇

盧坎 Lucian

盧坎（大約公元 120–200 年）是希臘作家、律師和寫作教師。他的多本對話錄記錄了當時的生活及習俗。

讓我來說說啞劇藝人。他需要甚麼資歷？甚麼訓練？要研習哪些科目？需要甚麼相關成就？你會發現他的專業絕不簡單，不是輕率入行的，並且要求在各方面都達至最高的文化標準。不單要懂得音樂、節奏及節拍，重要的還有自然及道德哲學，單單具有辯論闡釋的本領並沒有任何實際用處。敘事的藝術對這專業來說，只對顯露人性與人類慾望有用。這個專業不能不善於繪畫和雕塑，皆因這兩種藝術所教導的和諧比例，猶如阿佩萊斯（Apelles）或菲迪亞斯（Phidias）的作品般完美。最重要的是，記憶女神和她的女兒默劇女神波麗海姆妮亞只會眷顧可以掌握及記得一切的藝術。猶如荷馬（Homer）筆下的預言家卡爾克斯（Chalches）[1]，啞劇藝人必須知道過去、現在、未來。所有事物都逃不過他時刻就緒的記憶。忠實地反映角色、充分地表達心中意念、令難以理解的變得顯而易見——以上都是啞劇藝人必需的技巧，正如修昔底德（Thucydides）對伯里克利（Pericles）的稱頌：「他不單制訂了一套睿智的政策，更能令聽眾理解它的內涵。」易於理解在這裡的意思，就是憑著動作的清晰程度。

演出素材方面，啞劇藝人必須從他牢固的記憶中抽取遠古時代的故事。他亦必須具有品味和篩選的能力，熟知世界歷史，由大混沌創世直至埃及克里奧帕特拉七世（Cleopatra）都要熟識。

---

1 Chalches，亦作 Calchas，荷馬史詩《伊里亞特》（*Iliad*）中的預言家。

他的專業是模仿，他需要像演說家般的清晰度，用動作展示給觀眾，每個場景都猶如皮媞亞（Phythian）神諭般，無需翻譯員協助便可理解。

雖然他不會發聲，默默無言，觀眾卻聽到他的說話。傳聞說「憤世嫉俗的德米特里」（Demetrius the Cynic）就親自感受過。他一向不遺餘力地批評啞劇，說啞劇藝人不過是跟著笛子、管樂和腳敲拍子來動，對故事發展毫無建樹，其動作既無意義又無目的，觀眾只是被台上華麗的絲袍、精美的面具、笛子及曼妙的人聲所迷惑，事實上，以上一切內涵純屬空無。當時——即尼祿大帝時代——最負盛名的啞劇藝人是個聰明人，他的動作舒展自如，優雅至極，無人能及。他向德米特里提出一個非常合理的要求：先看過他在沒有任何伴奏伴唱下的演出，才對啞劇作出最後論斷。他沒有食言：打節拍者、吹笛人，以至歌隊都受命不得發出絲毫聲音。啞劇藝人單獨扮演戰神阿雷斯（Ares）與愛神阿芙蘿迪蒂（Aphrodite）、洩露二神相戀秘密的太陽、圍觀嘲諷二神的眾神、愛神如何面紅耳熱、戰神如何尷尬不已、低著頭向眾神求饒——整個故事。德米特里被演出震撼了，他向啞劇藝人獻上最崇高的讚美，尖聲高叫：「兄弟！這不是看見，是同時看見和聽到，您的手好像是舌頭似的！」

在我們離開尼祿大帝年代前，我想告訴你一位本都（古代小亞細亞地區的一個王國）王族對啞劇藝術的盛讚。這名外邦貴族因公事謁見尼祿大帝，並觀賞了上述這名啞劇藝人的演出。雖然他只有一半希臘血統，不能理解演出的口頭解說，但藝人的動作是如此有說服力，令他對劇情清楚明白。當他向尼祿大帝告辭歸國時，尼祿允許他選擇任何禮物，並信誓旦旦表示任何要求都不會拒絕。這名本都人說：「請您賜我這名偉大的啞劇藝人，這是我最喜愛的禮物。」大帝問：「他在你的國家有何用處？」本都人回答：「我有不少鄰居都是外國人，但要聘請翻譯並不容易，您的啞劇藝人可以隨時候命為我以動作示意，實在是翻譯的完美人選。」

啞劇藝人最重要的工作是履行演員的職責，這是他的首要目標。在邁向「演員」的路上，他與演說家有類同之處，尤其是在撰寫演辭方面。演說家和啞劇藝人的成功之道，在於像真，在於按角色的特性變換表達語言，無論是王子還是謀弒暴君者、窮光蛋還是農民，每個角色都必須呈現各自獨有的特性。我想分享另一名外邦人的評語。他看見五個面具——即故事中角色的數目——但只有一名啞劇藝人，於是他詢問誰會飾演其他角色。當得悉一名演員將會飾演劇中所有角色時，他對藝人叫喊說：「先生，我觀察到您只有一個身體，卻沒留意到您有多個靈魂。」

現在我嘗試勾畫一流啞劇藝人應有甚麼心理和身體要求。我在之前已經提過：他需要記憶力、敏感性、敏銳度、掌握概念的能力、圓融性，以及判斷力。此外，他需要是一位詩歌的評賞家，懂得分辨好音樂，棄掉差勁的。他的身體比例應恰如其分：不能高得嚇人或像個侏儒；不應肉騰騰的（在他的行當中很不討好的特質），或瘦骨嶙峋。

另一個必要特質是善於各種肢體動作。他的軀幹必須同時柔軟而又強健，以符合靈活及厚實這兩種相反的要求……事實上，啞劇藝人必須在各方面都準備就緒。他的作品必須包含融和的整體，在平衡及比例上都要完美無瑕，能自圓其說，即使最挑剔的批評亦難不倒他。作品不能有缺點，所有元素都必須是最好的：概念優秀、經過深入研習，最重要的是，富有同理心。只有每位觀眾對看到的場景有同感，從啞劇藝人身上看到猶如鏡子般反射自己的品性和感受，啞劇藝人才算得到完全的成功。當他達到這境界，觀眾的熱忱將會難以控制，每個人都會全神投入，讚嘆藝人在他眼前所描畫的，關於他自己的一切……

皮拉德斯和巴提勒斯

約翰・韋發 John Weaver

約翰・韋發（1673–1760）是英國的舞團總監和啞劇創作人。

（根據《蘇達百科全書》［*The Suidas*］）[1] 羅馬極有名的啞劇藝人皮拉德斯在奧古斯都大帝時期生於小亞美尼亞。他善於創新，並完善了「舞出完整劇目」的藝術。在奧古斯都大帝之前，啞劇藝人只在悲劇或喜劇演出時做些間場的舞蹈和動作，但皮拉德斯和同期的巴提勒斯，首創撇除其他演員、只用樂隊伴奏的演出。根據聖葉理諾（St. Jerome）的記載，皮拉德斯是首位在笛子和歌隊伴奏下演出舞蹈的藝人，在他之前的啞劇藝人都是又唱又舞的。皮拉德斯就他由搞笑、悲劇及諷刺三種舞蹈為本而發明的意大利舞蹈寫了一本書。他被一個黨派驅逐出羅馬後，奧古斯都大帝召他回來，令民心大悅，甚至成為人民不再為一些擾民法律而惱怒的其中一個理由，由此可見他技藝之精湛。

皮拉德斯有兩位競爭者，第一位是巴提勒斯，另一位是皮拉德斯以前的學生海拉斯（Hylas）。馬克羅比烏斯（Macrobius）的作品對三人的爭鬥有不少描述，群眾甚至因為他們之間的嫉妒而暴動。一天，海拉斯演出一齣以阿伽門農王為結局的舞蹈，他以「身材高大的偉人」的姿勢作結。皮拉德斯挑出他的錯處，高聲喊道：「你把他弄成一個高大的人，不是偉人。」觀眾要求他即時演出同一劇目。他照做，在演繹「偉大的阿伽門農王」的一刻，他選擇以「沉思的人」的姿態去表達其意。

---

[1] *The Suidas*，希臘文為「堡壘」的意思，是一部十世紀的希臘百科全書，包含超過三萬條資料。這本書被文藝復興時期的學者視為重要的資料文獻。

亞歷山大城的巴提勒斯受到詩人梅塞納斯（Maecenas）的賞識，被免去奴籍。他與皮拉德斯是同期享負盛名的啞劇藝人，並協助對方創立這種新穎的「舞出完整劇目」方法。《蘇達百科全書》直指奧古斯都大帝發明這種舞蹈，而巴提勒斯和皮拉德斯就是率先作出演出的人，但我認為應如此理解：奧古斯都大帝御准這兩位著名藝人的發明，因而確立其地位。

這種新創舞蹈名為「Italic」，由喜劇、悲劇及諷刺三部分組成，卻非這三部分的混合體，反之上述三人在各自的演出中保留其中一類的特徵：巴提勒斯精於喜劇，皮拉德斯擅演悲劇，雖則他們常常都兩者兼演，皮拉德斯曾以演出酒神與他的追隨者，以及樹林之神們的狂歡宴會而走紅可見。二人之間的模仿和競爭，促成了兩批追隨者，各自有為光大師門、令老師聲名再上一層樓而努力的出色人才。巴提勒斯的追隨者們叫「Bathylli」，而皮拉德斯的追隨者叫「Pyladae」。兩班人各自專研自家派別的典型角色：前者的舞蹈令人開懷，配合追尋愛情的冒險故事及搞笑角色；後者的舞蹈嚴肅，令觀眾生起悲劇特有的偉大高尚情懷。前者極富挑逗，對女性觀眾更是非常的誘惑，以致有人如此詠頌：

舞蹈大師高跳起，

狂歡、狂怒又狂喜；

另一位舞手動足，

大張嘴巴、露齒而笑，

恍若熱戀之中；

第三位愛上了新曲目，

愛慕旋律，卻是醉翁之意不在曲。

盒中村女現台前，

鶯鶯軟語低低訴，情意
盡收眼眸、耳朵中。

舞者、樂團互輝映
生動樂章添美態；
此步，乃小心翼翼之戀人；
此步，乃雄赳赳的戰神；
此步，乃醉酒的瑞士人。
他柔軟的肢體
變幻出無數身份；
各異的手勢
顯出各異的情感；
奇特的藝術！於無聲的雅致中流淌，
向觀眾獻出
無聲之言語，無言之感覺。

羅馬的首演

查爾斯・赫士 Charles Hacks

查爾斯・赫士是一名法國醫生、作家及業餘啞劇表演者，活躍於約 1888 年。以下選自他的歷史小說《手勢》(*Le Geste*)。

在默劇劇場前方，艾佩恩大街的廣場入口，人群有如洶湧繞圈的河水般滾動著、暫停、分開，真是令人驚嘆的一幕！從郊外高處看過去，可以見到無數的人，一行一行的，好像幾十里的螞蟻等著進入蟻窩，但其實是在魚貫進入劇場。所有類型的馬車擠滿了道路，來往交錯，亂作一堆，聚集成一團黑黢黢的東西，間或灑上一點灰色的塵埃，看起來更像螞蟻。途徑劇場的巨大石製紀念建築物，通過由巍峨石柱排出的多個入口，便是劇場內九層的觀眾席，足以容納八萬之上的觀眾輕鬆就座。

劇院還未滿座，有些觀眾仍然在進場。表演突然開始，好像被甚麼人催促一般。

首先，樂隊奏起類似序曲的音調。樂手們半藏在伸展式舞台下面，沒有指揮，只是即興地互相融和出一些曲調。主要的樂器是搖鼓、小鼓、長笛和小號，時而互相對答，時而靜默讓路給豎琴的輕吟。接著，歌隊出現了，逐一步上台階準備演唱，首先是三行，每行五人；然後五行，每行三人。他們開始唱起不同的歌曲，有些歡快，有些憂傷，隨著指導人的指示同時不住地做各種動作。主要的動態包含模仿天體運行的軌跡，十分富神秘感。

下一批上場的是舞者，全身一絲不掛，只用一塊薄薄的麻布蓋住。不過，無論是他們的身體或結實圓渾、輕輕揉上白粉塵的大腿，觀眾都視若無睹。

忽然，全體觀眾起立。劇院外掌聲雷動，眾人跺腳致敬，地面震動。啞劇藝人來了！另一位群眾鍾情的啞劇大師——皮拉德斯的死對頭巴提勒斯——就在這群啞劇藝人裡面。無庸置疑，今次演出必定會充滿激情，皮拉德斯知道死對頭在場觀劇，一定會有超水準的演出。十六萬隻手，高舉叫好，如此宏亮，如此連續久久不斷，以至宣告奧古斯都大帝駕到的小號聲也被淹沒。大帝與他的兩名詩人好友維吉爾（Vergil）和赫拉斯（Horace）、史官奎因都斯・克爾久斯（Quintus Curtius）及提布盧斯（Tibullus）進入包廂，然而沒有人理會他。大帝自己也起立，跟群眾一起向演員致以尊貴的鼓掌。他尊重喜劇演員、賣藥人，以及啞劇藝人。

整個羅馬的人都在此處。劇場首演之都羅馬，奧古斯都大帝時代的羅馬，是世界的女主人。整個羅馬、羅馬不朽的詩人們、羅馬出色的史學家們、羅馬百戰百勝的戰士們，全部人都來了，為了看一個啞劇藝人的表演。

隔開前後台的紫色小布幕開了一道縫。有個人出來，在偌大的舞台上看來很微不足道。他步向舞台前端，那可是超過一百米的距離。他爬上台上築起的高台。那裡是主要演出的位置，啞劇藝人都會站在這上面，好讓觀眾看清楚他們的精湛藝術。

這名演員的職責是宣佈演出劇目，如果劇目是啞劇，他還要簡述劇情。他的背上用皮帶栓著一件碩大無比、發出空洞聲音的物體。那是一個面具。當他一轉身面朝觀眾，這面具已穩穩戴上。「尊敬的大帝！」他面向大帝，透過面具的銅嘴高喊，然後朝群眾喊：「尊敬的各位！奉大帝之命，以及他所施的恩澤，今天是六月（Sextili）的首日，從今命名為奧古斯都月（八月），聖潔的皮拉德斯和他的劇團會演出由安德羅尼庫斯編撰的啞劇《羅慕路斯》（*Romulus*）。一瞬間您們就可以向他們鼓掌，也同時向高貴的大帝致謝。」

「關於本劇，以下是簡介。」演員突然提高聲線，不再使用他原先緩慢而謹慎的語調，捏著聲線以高昂的鼻音宣告。

「第一幕：阿爾巴隆伽城的君主樸加（Proca）有兩名兒子。長子名努米托（Numitor），次子名阿穆留斯（Amulius）。樸加傳位給長子，但阿穆留斯驅逐了兄長，篡位為王。為了不讓兄長有繼承人，他強迫姪女席爾維亞（Rhea Silvia）出家為尼，然而她已經有孕，生了一對雙生兒雷穆斯（Remus）和羅慕路斯（Romulus）。」

「阿穆留斯得知此事，立即將她囚禁起來，並把兩名嬰兒拋到台伯河裡。但剛巧當時的河水泛濫已至尾聲，開始退卻，嬰孩擱淺在河岸的沙上，那兒是一片荒野。嬰孩的哭喊引來一頭母狼，她以自己的奶水餵哺他們，猶如他們的母親一樣。」

「母狼頻頻回到兩個小孩那裡，好像去看自己的親生兒女。王上的牧羊人浮士德勒（Faustulus）留意到此事，尾隨母狼找到了孩子。他把兩名孩子帶回他的破爛小屋，讓妻子阿卡・勞倫緹雅（Acca Larentia）把他們撫養成人。」

「第二幕：這幕啞劇分為兩節，由安德羅尼庫斯所作。」

「第三幕：皮拉德斯將會飾演浮士德勒，戴安尼斯亞飾演他的妻子阿卡・勞倫緹雅。狼是來自高爾的演員蘇沙，他是被樸古解放的前奴隸。」

「第四幕：皮拉德斯只會在第二節出現，演繹他新創作的《聖童頌》（*Hymn to the Child*）。我說完了。」

全場在寂靜中聽完以上介紹，場中諸人如饑似渴，一字不漏地吸收全部內容。皮拉德斯參演的啞劇——噢，實在是盛事！

跟著群眾露出興奮的一面，就如短暫開啟的安全閥，釋放之後全神貫注、集中精神觀劇的壓力。他們按習俗譏諷這可憐的小廝，盡力把他留在台上。「鞠躬！鞠躬！」喊聲四起，苦著臉的小角色在高台上深深向四面八方鞠躬。「向大帝鞠躬！」他立即照做。「向修士致敬！向參議員！武士們！法官們！人民！」連續不斷的要求，使他向這向那不停鞠躬，直到有個聲音穿過這混亂一片：「看這邊！演員！致敬吧！」所有人的目光投向聲音的方向，望向壁帶的邊緣，定睛看著眼前這不尋常的奇觀：挺著大肚子、胖得難以想像的維魯斯(Varus)，在維拉布洛區的門廊下賣鹹豬肉、人人都認識的維魯斯。他剛轉過身來，掀起短袍，露出他那坐在石欄上、漲滿的，因久坐而兩邊發紅的巨股。

如此不雅的一幕，引來轟天動地的大笑，震動整個劇院；女士小聲尖叫，上上下下，到處都是一行行抽搐的光頭和大肚皮，一陣陣哄笑的浪潮捲過劇院。奧古斯都大帝也忘卻自己崇高的身份，笑得最響亮。

那小演員趁此良機逃跑下台，然後一大群人結隊從後方上台，從樂隊旁登上台階。有人穿著戰士的服飾，身披獸皮，光著雙腳，戴著皮製頭盔，用閃亮的帶子繫著。他們前面是一位次要的啞劇藝人（也是光著腳）。他是演一般的百搭角色，沒有面具。他看起來很矮小，臉上塗上黑色模仿可怕的酋長，遙遠距離令他面目模糊。他揮動手臂，介紹他手下的軍隊，解釋自己就是這群超卓而無敵的戰士的指揮，為了顯示他們的力量，他又重複那不雅的動作：用左手放在右上臂的二頭肌下的手肘處，右拳握緊的下臂象徵陽具，連續舉起又垂下數次。

另一批表演者，穿著鑲鐵的鞋子，跺著腳，以步操般的節奏出現在台上。他們拿著鐵矛，扮演著牧人、漁夫和獵人。最後國王的隊伍出現，面具小丑先把身體屈折到古靈精怪的模樣，惹得觀眾發笑，阿穆留斯的兄弟和身穿修道服的姪女尾隨著阿穆留斯，兩名奴隸提著一個大籃，裡面是兩名嬰兒。

接下來是相當混亂的一幕，阿穆留斯趕走了兄長努米托，把席爾維亞套上鎖鐐，投入牢中，並命令把兩名在大哭的嬰兒拋入台伯河裡。觀眾聽著鐵鞋無止的刻板踏步、短笛的尖鳴，襯以風琴的吟唱，這段冗長、角色又多的演出令他們有些沉悶。他們不發一言，睜大眼睛，思考著台上發生的一切（有一刻台上有超過二千人），腦袋微微隨音樂擺動，如進入聲與色的狂喜迷醉中。

佈景轉動，露出古樹群下的一堆岩石。劇院頓時被一陣竊竊私語籠罩。母狼從一塊巨石橋樑躍到台上，所有觀眾的目光立即注視著牠，甚至有人發出「呀～！」的欣悅叫聲。終於，首個有趣的啞劇出現了。音樂驟停，母狼先遲疑一會，目光在假裝驚訝的演員當中來回逡巡。牠見到兩名奴隸丟下裝著嬰兒的籃子逃跑，便衝上前追擊他們，朝一人的大腿咬下去。他滿身是血，尖叫跌倒。母狼再追上第二名奴隸。他拖著籃子閃避跑開。同時台上的戰士和獵人企圖阻止母狼，但牠又扭又轉，跳高伏低，迂迴閃避他們，以牠野獸的靈巧飛躍著，但一直沒有甩掉牠的目標。「牠」的演出是如此完美，觀眾報以雷動的掌聲。最後牠成功擺脫一行獵人的監察，全速向那逃跑奴隸的方向馳去，所有人跟在後面。

流血的情景令觀眾熱烈起來，有人叫好，有人出言鼓動，他們明顯因目睹慘狀而感到愉悅。流著血的奴隸被抬走，他那受傷的腿吊在外面。維魯斯滿面紅光，激動又開心地從高處咆哮：「那該死的奴隸！把我所有的鹹豬肉都給狼！」

狼的驟然進場為第二節打開序幕。牠喘著氣，眼睛血紅，像是被長途追捕而僥倖逃命的動物。牠繞著舞台，嗅嗅碰碰一會，像在嗅出路徑的樣子。當牠停下來，尾巴朝著觀眾，耳朵垂下，凝視著後方時，一名奴隸現身並說出一個名字：「皮拉德斯。」

全劇院已經起立。當這位啞劇藝人現身時，難以言喻的騷動，雷一般的掌聲轟然響起。花朵從上面的皇室包廂傾瀉而下，帶著大籃鮮花的奴隸們把花兒倒下來。維吉爾、赫拉斯、克爾久斯、提布盧斯，以至奧古斯都大帝本人，都親手拋出大撮鮮花。維吉爾高叫：「皮拉德斯，您出神入化！」赫拉斯喊道：「您的記憶力超凡入聖！」大帝鼓掌示意。觀眾中的一群妓女——從她們的濃妝艷抹及用銻顏料把雙眉連成一線看得出來——興奮至極。她們雙手捧著自己的胸部，邊跺腳邊發情地嗥叫。奴隸們拾起花朵，而所有洶湧致敬的對象——皮拉德斯——靜靜地站著，母狼蜷伏在他的腳旁。

他以俊美見稱，面白無鬚，膚色偏白，頭髮剃掉，陰部和腋下的毛髮都拔得乾乾淨淨，娘娘氣的，他雖然強壯，但從他的衣飾看不出來。他的頭部被一個碩大、可畏，只得一隻眼睛的木製面具完全蓋住，面具的嘴巴向前伸展，形成一支奇妙的小小喇叭，末端扁平，好像豬嘴。觀眾也看不到他的身體。他全身披著一件好像潛水衣般的皮衣，外面的色調像人的皮膚，裡面厚厚地墊著填料。在這皮衣上面，他穿了代表牧人的獸皮，整件衣服看起來像外族人的羊皮囊。雖然他的身體已經撐大，但他的頭仍然是不成比例的大。他小小的手和腳沒有被覆蓋，保養得有如女子，用墨魚骨粉及石灰染白，而指甲則塗搽金粉。

這就是當時的偶像，神一般的存在——填充得胖胖、足以嚇跑麻雀的娃娃。

神聖的靜默。觀眾像被催眠般凝視著，期待著這醜陋的大肚神祇有所動作。他點頭兩次，先向大帝，再向群眾致意。觀眾中掠過一陣隱約的呢喃，焦灼而屏息靜氣，中途停頓的劇目再次開始。

母狼快速站起，豎起耳朵，擺動尾巴。皮拉德斯開始他的啞劇。他的雙腳合攏，只用頭與手臂，他的頭部隨著上身的晃動順勢輕搖著。他首先介紹自己：一個在無人荒原獨自生活的牧人，只有兩名伙伴，一個既忠心又誠摯；另一個是惹人厭憎、殘暴且脾氣壞的敵人——他的妻子，以及這頭狼。不過，其實妻子是凶猛的那位，狼才是他的朋友。他表達的方式很簡潔，如他一貫的風格般一氣呵成。他的手勢緩慢、精確、富表達力、令人讚嘆。他的視線頻頻從觀眾望向母狼，那動作憂愁而又寵溺。他的手臂有如脫離了身體，那為了在偌大舞台有些存在感而塞得脹滿的怪異身體。他是這樣善於適應這龐大的身軀，觀眾不再被他的醜陋嚇倒，醜的感覺有如海市蜃樓或視覺幻象般淡出了。那面具在他的魔咒下栩栩如生。

當他演出這段默劇時，聰明的母狼一直在他身旁。當藝人以手指示意或談及牠時，母狼會如一頭愛護主人的狗般豎起耳朵，猛搖尾巴。皮拉德斯後退幾步，以手勢宣告：「當她（指向妻子將要踏入的範圍）不在時，我倆會玩作一團，像孩子般玩，看！」母狼明白他的意思，跳起來屏息靜氣。接著人和狼玩起遊戲來：聲東擊西、進攻與反攻、充滿著節拍、停頓、主旨、跳拍。

皮拉德斯裝作以刀刺向狼，狼立即裝死，但當皮拉德斯轉身跑掉，牠就一躍而起，趕到他前方撲向他的喉嚨，好像要咬死他的模樣。

人與狼呈現的是一種節奏性的演進，異常吸引。當互動差不多完結時，皮拉德斯已經輸了給狼，他倒下，似乎傷得不輕。狼準備最後的野性一擊，假裝要咬穿他的喉嚨。狼接著的一幕獨腳啞劇確是奇特，牠突然停頓，有點迷惑地望向觀眾，然後再望向被牠壓在下面的那人。牠嗅嗅他，變得愈來愈焦躁，最後發出絕望的哀嚎。牧人的妻子阿卡・勞倫緹雅聽到狼嗥聲趕來，但狼仍然守著朋友的「屍體」，最後牠不得不跑掉，以逃避女人的長槍。

男人爬起來後，二人演了長長的一段，他倆的性格表露無遺：他冷靜而平和，她繞著他大發雷霆。旁觀者感覺到，如果剛才是她「殺」了丈夫，她絕不會絕望地哀嚎。

當二人吵得不可開交之際，母狼回來了。牠看上去很困惑，不住繞著二人轉，希望男人注意到牠，但他已陷身於爭吵中，根本沒有留意。狼離開舞台，很快又回到台上，用牙拖著一個籃子，裡面是那兩名嬰兒。牠爬上籃子去，蹲坐在嬰兒的頭部上面，好讓孩子可以喝到牠的奶。

整個場景凝住，呈現的正是第一羅馬帝國全體戰士盾牌上所刻的著名圖像：一頭母狼正在餵養兩名嬰兒，一對錯愕的男女在旁看著。

場景匆匆推進。女人拿起長槍跑向孩子，要把他們幹掉，男的出手相救，由此開展這啞劇，也是這天的最精要部分——由皮拉德斯主演的獨腳戲《聖童頌》。

啞劇藝人先小心翼翼地站到高台的正中央以統攝全台。他先演繹孩子的出生，然後是嬰兒的每個成長階段。他偶然會變做保姆、母親、父親，又再轉身變回嬰兒。孩子日漸長大，進入青春期，成為公民、武士、議員、議長，最後登上寶座。他精確的手勢、多變的節奏和細膩的停頓實在美不勝收。

觀眾有如入魔般看著，專心致志，激動又崇敬得喉頭發乾。最微小的動作和停頓也逃不過他們的眼睛，他們全身心投入。當藝人模仿搖籃時，觀眾的身體不禁輕晃；當他們看到嬰兒比蘆葦還要脆弱，他們禁不住顫動；他們與嬰兒一起成長為男人、公民。當皮拉德斯以澎湃的激情跑向籃子，一把抱起兩名嬰兒，以華麗、戲劇性的姿態總結這一切，把嬰兒呈獻給眼前的群眾，好像讓他們接過孩子一般：「這裡，抱著他們，他們源自您們，屬於您們，好像您們一樣，他們會統治天下！」

幻象流淌至現實，劇院消失了，對藝人及觀眾，剩下的只有民族傳說——羅慕路斯和雷穆斯的故事、羅馬城的創立，以及世界之驕女——羅馬。人民被驕傲和愛國情懷喚醒，激動地想起傳說中的先祖。啞劇藝人已差不多力竭，喘著氣仍奮力舉起兩名嬰兒。所有觀眾又再同時起立。八萬張嘴向藝人歡呼，也向自己和羅馬歡呼。維魯斯宏亮的嗓子聲蓋全場：「皮拉德斯，我愛您！我所有鹹豬肉都給您，我自己也給您，只要您想要，都給您！」

十七世紀的默劇

（向演員說）你認為說完自己的台詞後保持沉默是最容易不過的，我告訴你，這是最難處理的一件事。看到你在這種時刻當中，我從不例外，一定會抓狂。

— 呂吉・瑞科伯尼（Luigi Riccoboni）

根據推測，古時演出宗教神秘劇的演員是「默人」，即裝扮成愚人，不作聲地演出的人。他們衣著誇張可笑，以舞蹈、模仿和各式形態示人。

— 科利・西伯（Colley Cibber）

在莎士比亞的時代，小丑就是擁有天賜「無知」的農民。

— 弗朗索瓦・畢葉度（François Billetdoux）

綜論十七世紀的默劇

芭莉・羅夫 Bari Rolfe

中世紀的世俗戲劇源於默劇：在市集、園遊會、街道和公眾廣場上演出的歌曲、舞蹈、鬧劇和偶戲。教庭的謾罵及抗議沒證明封殺有甚麼效用，反而引證了這群「不雅的賣藝人」是何等受歡迎。

中世紀的聖靈劇（sacred drama）也是源於默劇。當時大部分人都是文盲，遑論懂得拉丁文。將聖經故事和其他教義題材搬演是一種有效的教化技巧。神秘、道德、神蹟劇，也被稱為「演出的佈道」，以「擬定活圖片」和啞劇形式有效地在教堂上演，亦會與對話連結。到了十二世紀，這些演出由教堂內搬到教堂外的花園、市廣場和街道上，以容納愈來愈多的觀劇群眾。

有台詞的啞劇有頗多形體動作，就像後期出現的意大利即興喜劇（commedia dell'arte）。來自伯克郡的典型啞劇會有一場英皇喬治與土耳其突厥武士的纏鬥儀式。即使是演牙醫脫牙，也要「做好一會兒的旁支演出後」才會進入正題。

啞戲

十六世紀伊莉莎白時代的特色是啞戲（dumb show），始於1562年上演、由湯瑪士・諾頓（Thomas Norton）及湯瑪士・薩克維爾（Thomas Sackville）創作的《高勃達克》（*Gorboduc*）。它是一種具有彈性的戲劇技巧，有時它會表達某些行為，例如謀殺、死亡、國家的儀式、夢境，或超自然現象。有時它是場景演出之前的正式巡遊，又或是先總結整個場景，以點出主題。啞戲會用在劇本架構以外或內，又或是作為劇中劇，有時它會將整個或部分劇本轉作寓言版本，亦會用來顯示幕後發生的事。它能發揮這麼多功用，因而廣為伊莉莎白年代的劇作家採用。當中最有名的是《哈姆雷特》（*Hamlet*）中的啞戲。

意大利即興喜劇

在1550年起之後二百年，一種充滿動感和啞劇、有台詞的劇種「意大利即興喜劇」大受歡迎。綽號「隆隆聲」（Il Ruzzante）的安吉洛・貝爾克（Angelo Beolco，1502–1542）開始以當時粗糙鬧劇為本作即興演繹，以及包含農家和各種平民的短劇等。僕人哈樂昆（Arlecchino）和僕人布里蓋拉（Brighella）、吝嗇鬼潘大龍（Pantaloon）、博士和軍官等等演變成常規角色。演這些角色的人戴半面具，而劇中另外三個角色：一對戀人和女僕歌倫比妮（Colombina）則不戴面具。（請參考附錄一的常見角色）意大利即興喜劇與羅馬時期的啞劇有著密切的關係，由園遊會到胡鬧劇（knockabout farce），它從意大利傳遍整個西歐，滲入其他國家的戲劇，兼且把女性演員帶回舞台上。

在法國，意大利即興喜劇與當地勢力深厚的持牌劇院競爭，後者毫不猶疑地要求政府禁止意大利的敵人演出。他們的對手也秒速變陣應對各種禁制手段。當政府禁止多於一名演員在台上，他們安排另一名演員在幕側說台詞；當台詞也被禁止，演員把台詞唱出來；當唱歌也被禁，他們用木板寫上文字，如此類推。當中一直有啞劇片段和笑話（喜劇小品），凡能用動作表達的全用上動作，造成有意義的動作、身體語言和翻騰巧技的豐富混合。

其後意大利即興喜劇得到法國皇室的歡心，法國劇作家很快便筆錄所有在演的東西，並翻譯成法文。不少作者循著這條流行脈絡創作，例如莫里哀（Molière）早期的多齣獨幕劇本，依據就是傳統意大利即興喜劇的情節和人物。到了十七世紀，那些粗糙的主題及角色逐漸變得世故、身份高尚，也更文學化。法國本身有巡演劇場的久遠傳統，直至二十世紀初仍然存在，搬演的有嚴肅的，也有喜劇性的劇目，而後者部分建基於意大利即興喜劇。1942 年在馬賽出版的《傳統流行劇場》（*Théâtre de Tradition Populaire*）一書便記載了 1835 至 1914 年間一些的劇目紀錄。

在英國，莎劇《錯誤的喜劇》（*Comedy of Errors*）、《第十二夜》（*Twelfth Night*）和《馴悍記》（*Taming of the Shrew*）之中，都可以找到意大利即興喜劇的痕跡。其他英國劇作家的作品也是如此，英式盛典（pageantry）、假面劇（masque）和狂歡宴會（revel）也包含甚多啞劇元素。在 1900 年代還在英國鄉郊巡迴演出的「即拆即搭」式劇團，演出的形式也是意大利式的半即興。

西班牙人亦很喜歡粗獷的鬧劇和意大利即興喜劇劇團，西班牙演員及劇作家洛佩・魯埃達（Lope de Rueda，1510–1565）以「純屬意大利及文藝復興時代」的角色和橋段，用他的諷刺性短劇（written paso）創立了西班牙式的即興喜劇。亞拔圖・加納薩（Alberto Ganassa）[1] 的意大利即興喜劇劇團於 1572 年去到西班牙，直至 1577 年才離開。

在整個十七世紀直至十八世紀，意大利即興喜劇沒有停下腳步——它去到俄國、波蘭、德國、奧地利——凡是有觀眾歡迎它那種貼近民間的快活風格的地方。

---

[1] 編按：原著的 Alberto Ganassa 應為著名意大利即興喜劇演員 Zan Ganassa，其本名為 Alberto Naselli。參見：https://www.britannica.com/biography/Zan-Ganassa

意大利即興喜劇演員

四散到歐洲各地的意大利劇團包括「嫉妒劇團」、「聯合劇團」、「忠誠劇團」、「知己劇團」、「門路劇團」和某些貴族的私人劇團。相比中世紀時沒有人會認識演員，十七、十八世紀的名演員可多了，其中最廣為人知的包括擅演哈樂昆角色的加納薩、G・D・庇安高利尼（G. D. Biancolelli）、特里斯達諾・馬天利尼（Tristano Martinelli）和伊化力斯圖・格拉迪（Evaristo Gherardi）；擅演潘大龍的安東尼奧・瑞科伯尼（Antonio Riccoboni）；擅演普爾欽奈拉（Pulcinella）的西爾維奧・菲奧利尼（Silvio Fiorilli）；擅演「軍官」角色的法西斯高・安迪依尼（Francesco Andreini）和提比利奧・菲奧利尼（Tiberio Fiolilli）；擅演一雙戀人的伊莎貝拉・安迪依尼（Isabella Andreini）、維珍尼亞・林邦尼－安迪依尼（Virginia Ramponi-Andreini）、弗拉米尼奧・斯卡拉（Flaminio Scala，他為劇團的五十個場景留下紀錄）、G・B・安迪依尼（G. B. Andreini）及呂吉・瑞科伯尼（Luigi Riccoboni）。當時最出色的女演員，也是意大利即興喜劇演員中最具名氣之一的，是伊莎貝拉・安迪依尼（1562–1604）。她和丈夫法西斯高一起領導嫉妒劇團，她的天分、美貌、智慧和品德廣被稱頌。她也撰寫詩歌／韻文和劇本，是當時帕多瓦學院（Paduan Academy）備受尊崇的會員。法國和意大利的觀眾、藝術家、詩人和皇室都熱切擁戴她。

在意大利即興喜劇中出現的默劇或啞劇套路很可能是喜劇式的互動、搞笑的進場離場、胡鬧的碰面、充滿翻騰跳躍的惡作劇，或善意的混亂，就像我們在現今的綜藝喜劇（vaudeville）、音樂廳及馬戲團所見的場面吧。

兩齣神蹟劇

佚名 Anonymous

聖尼古拉（St. Nicholas）的肖像在教堂的祭壇上。一名富有的異教徒趨前，把他的財寶放上祭壇。他向聖人祈求，希望聖人在他遠行時保護他的珍寶。

富人剛離去，歹徒便進入教堂，偷偷來到祭壇前，一聲不響地把財物掠走。

不久異教徒回來了，發現財物失蹤，遂發怒咒罵和出手毆打聖像，要它為保護不力負責。豈料他一出手，聖像竟然動起來，走下祭壇，並在歹徒眼前顯現。歹徒十分惶恐，戰戰兢兢地把財物送回。

聖人的肖像回到原位，異教徒高興地歌唱，崇拜肖像。一位教士此時現身，囑咐異教徒只需崇拜神便可。異教徒宣佈自己歸附真正的信仰。

＊　＊　＊　＊　＊

祭壇上放了一個搖籃，旁邊是聖母瑪利亞的肖像。牧人們手持牧杖，帶領著活生生的羊和狗。有些牧人裝作睡覺，有些看守著羊群。忽然間，所有人都被一個扮作小天使、聲音甜美的男孩驚醒。他爬上佈道台，當小號吹奏一響後，男孩宣佈耶穌誕生。一群歌詠隊男孩現身於教堂上層，代表眾多天使，開始唱出「天主在天受光榮，主愛的人在世享平安」。

牧人在馬槽聚集，幾位接生婦向他們展示小耶穌，請牧人向世人宣告祂的出生。牧人向嬰兒和祂的母親致敬，然後排成一列唱著讚頌的詩歌，魚貫步出教堂。

意式喜劇中的啞劇

保羅・葉普 Paul Hippeau

意式喜劇，又稱為意大利即興喜劇，是一種充滿形體動作、半即興式的劇場表演。

直至十六世紀，約 1576 年時，真正的劇場式啞劇才在法國重現。當時的亨利三世派出第一班意大利演員到布盧瓦，用意明顯是轉移城區政府的各階層人士對政治的注意力。

啞劇在意式喜劇中一直佔一席位。這種劇的演員極受歡迎，主要原因是他們善用面部表情、姿態、手勢等，而在常演劇目中，玩笑式的場景也佔一大部分。在數世紀前的狄奧多里克大帝（King Theodoric）年代，就已經有「那些用巴掌、棒打、唸口簧，作出古怪姿勢，不靠舌燦蓮花來引起更多笑聲的演員」。意式喜劇的各種特定角色就是從這些演員直接傳承下來。很多時候，他們的跳躍、轉身和筋斗代替了提場，棒打的力道也絕非等閒，大部分意大利即興喜劇的名宿都是頂尖的體操好手。亨利三世引入法國的嫉妒劇團包含了許多羅馬時期的表演傳統。

在羅馬，啞劇演員戴上與身體一般大小的面具，代表他飾演的角色。這類面具不像悲劇或喜劇面具般有開放的口部，因此被稱為「無聲面具」（masques muet），意式喜劇中部分角色也戴上面具。龐貝古城中找到的圖畫，展示穿著甚少的啞劇表演者，擺出不同的姿勢，充分顯現其肌肉力量及柔韌之美。

然而，意式喜劇雖保留了古老的回憶、服飾和特性，他們也發明了新的形象及新的諷刺敘事方法。由搭建舞台開始、園遊會、化妝舞會及嘉年華會的出現，意大利即興喜劇把那些受歡迎的跨國角色現代化，再傳承下去。從當時的大學城波隆那產生了喜愛賣弄學識的「博士」角色；商業重鎮威尼斯給予老邁、自大又吝嗇，卻每次都遭愚弄的商人「潘大龍先生」生命。當時佔據了部分意大利領土的西班牙的貢獻是「摩爾人剋星」（Moor-killer）角色。那不勒斯城是那個狡猾、肆無忌憚、攻心計的僕人薩尼（Zanni）的靈感來源，也包含了古代劇場的傳統。其他城鎮，例如貝加莫（Bergamo），引發了最佳的搞笑笨蛋角色。我們熟悉的啞劇基本角色都在：老頭子卡桑德（Cassandre）、蠢僕吉爾（Gilles）、白丑（Pierrot）、哈樂昆、歌倫比妮、蠢僕切佛連（Trivelin）等。

由此，我們與學識淵博、文以載道的查爾斯・麥年（Charles Magnin）一起總結如下：「廣受平民歡迎的廣場演出，在藍天白雲之下，一直令奴隸在其悲慘生活中展現笑顏，使村民得享短暫的歡樂；不可毀滅的長青劇場，又在我們的世代、在德畢侯的戶外場地中重生；那結合古今舞台的劇場。在我們現在和中世紀的浪遊雜耍者、魔術師、遊蕩詩人當中，學者可以找到希臘、拉丁、奧斯坎、伊特魯里亞、西西里和東方古文化中最崇高的祖先、伊索的佛里吉亞駝背智者，到那位樂觀而身有殘疾的阿達命鬧劇英雄，卡拉布里亞人馬寇斯（Macus），後人直接意譯他的名字，變成現今在那不勒斯街頭演出中的駝背而精力充沛的角色普利錢拿里領主（Seigneur Polichinelle）。」

意大利即興喜劇史中，最受歡迎的默劇人是當明歷 (Dominique) 和史加拉慕殊 (Scaramouche)[1]……然而，意大利的喜劇演員並不是用德畢侯的演法來演啞劇。意大利即興喜劇是說對白的劇，或者應該說，是演員即興發揮的場景。穿插於對白當中來取悅群眾的笑話，並非睿言妙語，而是充滿想像力的美妙啞劇。

[1] 擅長飾演哈樂昆的演員庇安高利，以當明歷之名廣為人知。而提比利奧・菲奧利尼將史加拉慕殊一角發揚光大，故有人以史加拉慕殊作為其別稱。參見：https://www.britannica.com/art/Comedie-Italienne 及 https://www.britannica.com/biography/Tiberio-Fiorillo

意大利的劇場

伊化力斯圖・格拉迪 Evaristo Gherardi

伊化力斯圖・格拉迪（1663–1700）在法國演的是哈樂昆角色。他出版了一套關於場景、文本和笑話的叢書，名為《意大利的劇場》（*Le Théâtre Italien*，1694），以法文和意大利文寫成。以下為這套叢書的序言節錄。

意大利的演員從不背誦死記。若是要演戲，他們只會在上台前看一下主題。事實上，其演出的最精妙之處和「行動」是密不可分的。一齣戲的成功與否，完全視乎演員。按演員本身的機變能力，以及他們當下在台上面對的是好或是壞的情況，他們會自行在演出中為劇本添上枝節。正是因為需要演員在電光火石間發揮演技，如果一個好的意大利演員不幸失場，便很難找到代替的演員。人人都懂得死記然後在台上背誦台詞，但對意大利演員來說，劇場有不同的要求。「好的意大利演員」指的是一個有深度的人；以想像力而非記憶力來演戲；是個邊演邊構思台詞的人；無論和誰一起在台上，他都會輔助和支持對方，以完美無瑕的字句及行動配合對方，立刻給予對方需要的任何演技和動作，讓旁人看到都會以為二人事前必定經過排練。

這與純靠記憶演出的演員截然不同。這類演員登上舞台，只會全心把牢記的台詞儘快背誦出來，無暇理會同台演員的動靜形態。他只按自己的意願表演，匆匆展現他的角色，好像要趕快卸掉肩上的重擔。可以這樣說，這類演員有如顫抖著前來，背誦經過小心準備的教材的學者；或更貼切地說，他們好像回音，沒有人在他們之前說話，他們永不開口。他們空有演員之名，卻是劇團中無用的負累。

我們必須分清這些虛有其名和真正的演員。真正的演員當然會背誦，但他們好像登峰造極的畫家，懂得以藝術追尋藝術。他們以聲線之美、手勢之真、儀態之完美應對，以及某種優雅、隨和且自然不過的風度，伴隨其所有動作，融入所有的言詞中。

伊莉莎白時代的啞戲

《高勃達克》（*Gorboduc*，1562）
湯瑪士・諾頓 Thomas Norton 及
湯馬士・薩克維爾 Thomas Sackville

第一幕前的演出情節，及其重要性。

小提琴的音樂響起，六名身披樹葉的野人登上舞台。第一位在頸後背著一束幼小的樹枝，眾人竭力想折斷它但不果。嘗試很久後，有人抽出一根，把它折斷。其他人也照做，把樹枝一根根抽出來，輕而易舉地折斷所有樹枝，然而當所有樹枝紮成一束時，他們無能為力。當所有樹枝都折斷後，他們離開舞台，音樂亦隨之停止。這故事代表一個團結的國家能抵抗所有外力，但一旦人心渙散，國家就容易滅亡，猶如高勃達克王把自己獨自掌控的土地分給兩名兒子，兩兄弟其後不和，土地亦遭四分五裂。

《哈姆雷特》（*Hamlet*，1601）
威廉・莎士比亞 William Shakespeare

木笛聲。啞劇登場。

一王一后上，狀甚親暱；互相擁抱。后跪，作求王之狀。王扶后起，垂頭吻其頸，偃臥花坡上；后俟其熟睡，離去。旋來一人，脫王冠，吻之，傾毒藥於王耳，即下。后歸，見王已死，作大慟狀。下毒者偕二三人

至，似與后同作悲痛狀。屍體移去。下毒者以饋贈向后求愛；后初若拒卻，但終受其愛。〔眾下〕[1]

《希律和安提帕特》（*Herod and Antipater*，1622）
哲瓦斯・馬克漢姆 Gervase Markham 及
威廉・森遜 William Sampson

音樂響起，埃癸斯托斯（Egystus）和克萊婷（Clitemnestra）跳著古蘭多舞登場。他們的舞蹈被小號聲中斷。阿伽門農王和貴族們凱旋歸來。埃癸斯托斯向克萊婷耳語，給她一件無袖的上衣，然後躲開。克萊婷上前擁抱阿伽門農王。他解散隨從。她獻上上衣，他把衣服穿上，就此被衣服困住。埃癸斯托斯和她殺死了阿伽門農王後離去，留下兩卷文書在安提帕特（Antipater）的腳邊。

[1] 此場出自第三幕第二景。參照《哈姆雷特》（1991），梁實秋譯，台北：遠東圖書公司。

亞洲的默劇

我張口結舌但雙目無可遁形地
盡顯愛意
自別後淚留不絕
啞口無言但眼眸為證
她默不作聲以眼神承諾
我以指輕觸，她默認這承諾
我倆眉目傳情
默然相對任由愛火喧嘩

— 第二個流浪漢的故事・一千零一夜
(One Thousand and One Nights)

能旨在美，則花必現。

— 世阿彌元清（Motokiyo Zeami）

動中有靜，靜中有動。

— 中國戲行口訣

綜論亞洲的默劇

芭莉・羅夫 Bari Rolfe

在亞洲的劇場，默劇是如此與舞台形態緊密結合，差不多沒法獨立討論「默劇」——它只是一種在所有戲劇，由悲劇至喜劇，都用上的戲劇手法。舞蹈也不能與戲劇分割；舞蹈包含默劇演出部分，演員基本上也是舞者或默劇人，運用規範及編排的動作和姿態、受嚴格控制的身體和節奏，以及由一個衝動湧現出來的聲音、站姿及手勢演出。

中國

中國戲劇（譯按：戲曲）源自舞蹈，可溯源至族群中的社交聚會或祭壇前的儀式。古老的舞蹈主題為收成、戰事及和平，然後逐漸演變成宮庭和悅神的專業舞者，後者會在廟宇和民眾前表演。建基於天然動作的手勢演變成高度形式化的做手。到了十世紀（譯按：約五代十國時期），這些舞蹈成為了集合詩詞歌賦、音樂、舞蹈及啞劇的一種整體劇場（total theatre），有特定的範式：拭淚（用左手）、憤怒（以手指人／物及跺腳）、微笑（以兩食指描畫出微笑的唇形）——一套完整的「語言」。

日本

日本的劇場深受中國影響，但並非純粹的模仿，而是取材於本土及其他亞洲劇場。富符號性的宗教啞劇在十四世紀（譯按：約室町時代早期）興起，之後與歌曲和戲劇混合成為高尚的能劇（Noh），在宮庭獻演。同期產生的還有狂言（Kyōgen），是能劇幕與幕之間演出的鬧劇默舞小品。到了十六世紀，文樂（Bunraku）或稱木偶劇場興起，下一世紀出現了歌舞伎（Kabuki）——平民化的戲劇，主要呈現日常生活的主題，例如生命、愛情、歷史、傳說和鬼神等。

其他亞洲國家

其餘的亞洲劇場也可找到默劇的蹤影。隨便幾個例子：印度南部的卡塔卡利舞（Kathakali）是敘述古典神話史詩英雄的默舞劇；東印度的手印（Mudra）是規範手勢和姿態的舞蹈；斯里蘭卡（舊稱錫蘭）魔鬼舞中的男性領舞者模仿女性生活中的日常動作；暹羅舞蹈的手勢分成三大類：表情達意、日常生活，以及表示角色所想的；老撾的舞蹈包含四種基本默劇手勢：致敬、和好、接受獻花及步行；峇里的調情舞蹈容許舞者加入即興的默劇片段。

在二十世紀初，歐洲劇壇「發現」了亞洲劇場，熱衷者包括保羅・克洛岱爾（Paul Claudel）、賈克・柯波（Jacques Copeau）、安東尼・亞陶（Antonin Artaud）、尚・路易・巴洛（Jean-Louis Barrault）及戈登・克雷格（Gordon Craig）。這個發現對他們之後的英法劇作家、劇場導師和導演，以至劇壇其他部分，均有深遠的影響，令他們強調劇場的形體元素。

一些虛擬動作

程修齡 Cecilia Sieu-Ling Zung

程修齡博士生於中國上流家庭，她早年已醉心舞台，她是演員、作家、劇作家和老師，現（譯按：1970 年代）為執業律師。在 1947 至 1952 年間，她是美國駐聯合國大使，並擔任聯合國婦女地位委員會委員。下文節錄自她的《中國戲典》（*Secrets of the Chinese Drama*）。

跨門檻：演員提起右腳跨一步如跨過門檻，接著他把重心放在右腳，左腳先稍微向後提，然後再向前跨一步，這連串動作表示他是進入或離開房子。

昏厥：演員跌坐在椅子上，身體僵直。

乘轎：一幅大繡花帳子掛在演員手執的兩根桿子上，這代表花轎或普通轎子，乘轎人會隨轎走動。官宦人家坐轎時，一般會有四至八個侍從站在舞台兩旁，侍從領班先走前面向主人，然後舉起左手或右手劃一弧線，表示撩起轎簾，同時間乘轎人微微向前俯下身，跟著後退兩、三步，再做出坐下的姿態。當他坐好後，乘轎人就和轎子一起起行。到達目的地後，侍從再次撩起轎簾讓乘轎人下轎，乘轎人再次向前俯身，表示他下轎。

上馬：演員舉起右手朝天拍拍，表示拍拍馬兒，收起左手表示執著韁繩，右手無名指穿過馬鞭扣子，再用手拿好馬鞭，把馬鞭向後揮，再提起左腳踏一下，表示踏著馬鐙，再垂下馬鞭跨出右腳，表示一躍上馬坐上馬鞍，騎者坐好後，用左手做出拉緊韁繩的動作，騎者現朝向觀眾，高舉馬鞭，準備起行。

下馬：演員用執鞭的右手劃一個大圈，然後把馬鞭垂直豎在面前，左手點一點馬鞭尖，同時朝向觀眾，像告訴觀眾：「我已到達目的地。」接著他轉一轉手腕把馬鞭向右朝下轉個圓圈，轉完圈後，他把無名指從馬鞭扣子退出，左手拉過馬鞭，右腳提起，表示下馬，左手做出拿鞭收好韁繩的動作，左腳踏出表示踏出馬鐙，右手拿回馬鞭，接著騎者會把馬鞭交給侍從拿走，有時候騎者會拋馬鞭到台邊，表示馬兒站在一旁吃草。

監牢入口外望：扮演獄卒的演員站在椅子後，蹲下，從椅子的板條窺看。

進牢：獄卒把椅子拿向旁邊（代表牢門打開），然後他稍為移向一旁，讓囚徒（囚徒的朋友或親人）進入。

上船：演員跳向前，著地，這代表下船，接著演員把身體前後擺動，膝腿配合著上下起伏，表示他努力在搖晃的船上保持平衡，然後他拿起早已放在舞台一旁的船槳。如超過兩個演員上船，主角會先上船，垂直拿起船槳，遞給另一演員作為他的依靠。

泊船：演員拿著船槳在舞台上走圓場，表示他在划船，走完後，他放下船槳，向前跳兩或三步，表示他已上岸，接著他蹲下，做拉船靠岸、用纜繩繫泊船隻於碼頭的動作。

放簾捲簾：演員用下述的動作描摹解開簾子綁繩的結，把捲起的簾子慢慢放下來的情況。演員舉起雙手，向上看，用雙手的拇指、食指和中指解開想像的繩結，接著將手掌向上承著簾子，慢慢放下直到地上。如是捲簾，演員會俯身拿起簾子的底端，慢慢捲上，直到簾子高過於頭，然後把簾子綁繩打結。

投井：台上的一邊放上一張椅子代表井，演員攀上椅子，跳下並快速地跑離舞台。

越牆越嶺：台上的一邊放了一桌一椅（桌椅永不會置於台中）代表牆壁或山嶺。演員先把繩的一端拋過桌子（由檢場人接住拿著），然後他抓著繩子攀上椅子和桌子。

燈籠：普通的燈籠只有骨架，下部包著紅絲布，上面比較大，包著綠絲布，演員提著它時象徵現在是夜晚。

旗上繡有特定的名字或稱號，或是一重點文字，它們有時會在合適的角色後面掛著。繡有波浪和游魚的旗象徵水，叫「水旗」。一般會有四位龍套演員拿著水旗，他們不停震動水旗做出「波浪」。如演投水自盡，自盡的演員會跳向水旗演員，水旗演員隨即會把水旗圍著他一同離開舞台。

每類角色（行當）都有特定的演法。舉個例，旦的笑聲絕不同於其他行當，淨笑得猛而宏，老生笑得從容沉靜，丑笑得肆無忌憚，旦一定要笑得溫雅秀麗。笑可分為以下二十種：

正笑（happily）
冷笑（coldly）
驕笑（conceitedly）
妒笑（jealously）
假笑（pretend to laugh）
驚笑（surprisedly）
傻笑（hysterically）
媚笑（coquettishly）
羞笑（coyly）

哭笑（brokenheartedly）

譏笑（scornfully）

瘋笑（insanely）

奸笑（treacherously）：演員扮演著名奸角時的笑法

大笑（heartily）：演員往往大笑三聲表示他非常高興

強笑（reluctantly）：心中不快，但無可奈何，唯有笑

氣笑（grievingly）：充滿難以言喻的悲傷時的笑容

狂笑（violently）：演員通常高舉雙手大笑三聲，他的手會拿著或沒有拿著東西

僵笑（uneasily）：受窘而僵，為掩飾尷尬，不得不笑

懼笑（affrightedly）：雖脫離險境，但回想經歷仍感不知所措時的笑容

諂笑（flatteringly）：狡猾小白臉角色的笑法

能劇的模仿

世阿彌元清 Motokiyo Zeami

世阿彌元清（1363-1443）是能劇演員和理論家。他師承其父觀阿彌清次（1333-1384），是位著名的能劇演員、劇作家和老師。世阿彌留給後世的無價貢獻是編纂能劇劇本，並同時為能劇作曲和編舞。他的劇本現已成為能劇學校的教科書。他的《能劇的秘密傳統》（*Secret Tradition of Noh*）包含了能劇的理論和歷史，本文節錄自此書。

演員必須按照劇本思考動作，當劇本寫「看」，他便要看；當寫「伸手」或「縮手」，他的手就一伸一縮；如寫「聽」，他要豎起耳朵。演員如果能完全遵從劇本所言，他的動作便有所依靠，能輕鬆容易地做出來。首要是運用身體，其次是運用雙手，其三是運用腿腳。演員必須按照歌謠的韻律音調調節動作，箇中技巧非筆墨所能形容，當機會來時，演員必須藉觀察來學習。

先讓觀眾聽，再讓觀眾看。所有模仿的原理過程就是動作姿態切合劇本內容。現在，動作姿態已脗合劇本，而更好的是讓動作優先於台詞。聽覺和視覺是可轉置的，如果演員能首先捕捉觀眾的耳朵，接著他稍為放慢動作，就在這一剎那，音響效果取代了視覺，讓觀眾生起這是完美演繹的感覺。舉個例說，「哭」，先讓觀眾聽到「哭」這台詞，稍後你微微以袖掩面，這是以動作結尾。但當觀眾未能清楚聽到「哭」這台詞，你就以袖掩面，那台詞就會跨越動作成為結尾，這樣的話，動作先結束，就會形成一個奇怪狀態。因此，應當以動作為結尾，總而言之「先聞後見」。

首先要好好認同角色，然後模仿他的行為。當我說「要好好認同角色」，我的意思是指能劇的各式各樣模仿。當你扮演老翁時，就要留意年齡特徵，彎著腰，步履蹣跚，手的伸縮幅度要收窄。你要首先以老翁的外形作歌編舞，然後你用老翁的外貌行為特徵演繹動作和歌謠。當演出女性角色時，要做出腰肢纖細，身軀嬌柔的姿態，手的伸縮有板有眼，每個動作都精緻靈巧，心中的激情都被驅走，舉止行動都是輕柔雅致的。以你的外觀、舞蹈、歌謠，甚至走路的姿態，呈現你所扮演的角色的特徵。如果是個急躁的角色，你會滿懷幹勁，身體自然而然擺出綳緊的姿態。所有角色類型的模仿是要你首先學懂與角色感同身受的態度，然後你就能演繹他的行為。

印度戲劇技巧筆記

亞納達・庫馬拉斯沃米 Ananda Coomaraswamy

> 亞納達・庫馬拉斯沃米博士（1877–1947）是藝術評論家。他在藝術、文化、美學和印度舞的手勢各方面都著作甚豐。以下屬於一篇文章的部分，該文首次在《面具》（*The Mask*）一書中全篇刊登。

印度演員不會被個人情感出其不意地影響到他的舉止。他所接受的完美訓練，不會讓他這樣做。你可以說他在演出時身體會變成完全沒有自然流露的機械人，不會有未經編排或非藝術性的動作或表情改變。一根指頭的移動、挑起一邊眉毛、瞟一眼的方向——全已在規範技藝的書籍裡定下，又或是一代代的師徒傳承時已決定了。再者，全印度都沿用同一套動作表達同一種概念。很多、甚至可說是全部動作早在二千年前已經在用。

這些手勢與神祇的肖像和圖畫有密不可分的聯繫。它們（稱為「手印」）有宗教性的指向。不論是畫作、肖像、木偶，還是活生生的男女舞者，又或是在個人拜祭時，它們是表達靈魂思想的傳統語言。舉例來說，最普遍的一些宗教手勢代表「我奉獻一切」或「全無保留」、「不要怕」、「沉思」、「叫喚大地為我做證」、「討論」；其他手勢代表具體物件、動物、身體某部分、台上道具、特性；亦有手勢是引發和歡迎的符號、把物品放在椅上、約束和囚禁，所有手勢都由指頭和手掌形成。

同一或不同演員通過這些手勢，或其他比較不規範但觀眾熟悉不過的手印，絲毫無改地在不同情景下演出，能表達人類全面的情感，以及情感驅使的行為。同樣地，手印也可以用以描述一個神祇或英雄的外表及所有事蹟。這種語言完全人工化，但極其感人，是一種完全不受「展現者」的喜怒哀樂、年紀或性別影響的語言。

我此生看過最好的演技是在印度勒克瑙市。一位既是詩人又是舞者，並教導眾多跳舞女孩的老頭子，演唱牧女的曲目《向奎師那神之母抱怨》。這位著名的舞者坐在地上唱起詩歌。當他掂起一條紗巾，用它遮住臉龐，所有人都忘了他是誰，只見到一位害羞、優雅的姑娘用各種戲劇手勢在說故事。她訴說奎師那神如何偷取奶油和酥油、他的惡作劇、他的求歡方式，以及種種可惡的行徑。他臉上的每一部分、身體及手的每一個動作，都是有意的、受控的、宗教性的。他本人篤信奎師那神，然而這絲毫不損他的表演。

邊達典（Binda Deen）確是個天才，其性情絕佳，因此更能投入他的藝術，而非靠他的藝術出名。不過，這類富含動作的歌曲並不是他的，即使他是曲詞的原作者，此曲也不需依賴他的天分才得存於世。這詩歌是屬於整個民族，以及民族自古相傳的牧牛神祇。觀眾也早已熟知所有劇情、所有意念、所有用以表達這故事的傳統手勢（戲劇符號）。特別的是，當你明白手勢的意思，手勢就不是「傳統」而是「自然」，它們像是必然存在一般……這種手勢的藝術得以在印度流傳這麼久，部分是因為它是如此完美，部分也是因為它在石刻中、在銅鑄中、在人心中不斷承傳下去。

十八世紀的默劇

手勢不就是感覺的產物和每一種情緒的忠誠演繹嗎？

一尚・喬治・諾維（Jean-Georges Noverre）

本為莎劇設計之劇院
慣演穿透人心、喚醒人性的橋段；
然而觀眾席空空、
演員噩夢實如是
告知我等，李爾與哈姆雷特已無力回天
不情不願，卸下高貴場景
將哈樂昆呈獻您眼前

身挾絕藝與機智
看倫尼在台上出現
四肢有如在演說
縱戴面具與無言
人人皆明白其意
活潑動靜傳心思

一大衛・加里克（David Garrick）

綜論十八世紀的默劇

芭莉・羅夫 Bari Rolfe

不單是意大利即興喜劇劇團受到巴黎的持牌劇院[1]排擠，就連自1700年代初期已在法國聖日耳門和聖羅洛戶外遊樂會巡演的小劇團也遭殃。那些流浪演員對既有的劇團實在是相當大的威脅。為了抵禦特權階級法國喜劇院（Comédie-Française）和歌劇院（Opéra）無休止的遏制，遊樂會的小劇團和意大利即興喜劇劇團一樣，利用各式閃避的方法繼續演出。他們的啞劇擁有專屬的演員、角色和作曲家，儼然自成一派。啞劇演員也藉著模仿持牌劇院演員的角色、動作及悲情語調來取笑這些同行。

由於要在接連打擊下掙扎求存，啞劇因而注入了活力。起初它要運用各種支援技巧令觀眾得以理解劇情，如寫上字句的展示板，或藏身觀眾中的唱詞人等等。種種權宜方法漸漸幫助改進啞劇，令它可以不再需要使用語言或符號。

十八世紀中期後，戶外遊樂會的啞劇轉到另一範疇發展。提線木偶匠人的兒子尚・伯提斯・尼高力（Jean-Baptiste Nicolet）在巴黎聖殿大道的一個劇場中推出類似戶外演出的劇目：意大利品味的短喜劇，中場上演雜技和繩上舞。他的創舉開展了大道劇場的熱潮和十九世紀初德畢侯的代表性年代。

---

[1] 1700年時，巴黎只有兩所持牌劇院：法國喜劇院包攬所有有台詞的法語話劇，歌劇院獨佔所有的歌唱劇種。

英國啞劇的起源

歐洲大陸的遊樂會淡季時，上述的法國巡遊演員會去英國表演，把啞劇這形式也帶到當地，在英國，啞劇被稱為「意大利模仿場景」、「晚上場景」或「晚上劇目」。1697 年，意大利劇團被指侮辱法國皇帝路易十四的第二任妻子曼特農夫人，全部被逐出法國，因而來到英國和其他歐洲國家。

英國演員約翰・域殊（John Rich，1692–1761）在傳統劇場不得志，轉而獻演啞劇，其後以「倫尼」（Lun）之名打響名堂，他的啞劇被評為「故事嚴謹而充滿機鋒」。他的作品傾向嚴肅地運用優雅和規範的形體，以動作展現來自大自然或遠古神話人物的姿態、激情及個性，被時人稱為紳士化的舞蹈。至於那些怪誕搞笑的啞劇，則會用上非大自然的角色，例如意大利即興喜劇中的哈樂昆、吹噓者史加拉慕殊和白丑，以荒誕扭曲的行為、誇張的喜怒哀樂演出，用完全的靜默訴說哈樂昆如何與他的摯愛歌倫比妮和一眾意大利即興喜劇的角色投入冒險，當中也有浪漫的情節、緊湊的追逐及魔幻的轉變等。在接著的數十年間，英國啞劇廣受大眾，以至詩人、劇評家及作家的青睞。

十八世紀的英國啞劇表演其後出現在韋發命名的「現代娛樂」（modern entertainment）中，包括「怪誕搞笑、好像現代意大利人般的角色，例如哈樂昆、吹噓者史加拉慕殊等，演出純舞蹈、行為與動作的劇目」。韋發自詡為首個現代娛樂劇目《酒館騙子》（*The Tavern Bilkers*）的製作人。該劇據稱在 1702 年於倫敦德魯里巷[2]演出，然而後人並沒有找到相關紀錄。韋發是位舞蹈教師，寫過許多關於舞蹈的論文。他的著作《默劇人與啞劇人的歷史》（*A History of*

---

[2] 倫敦德魯里巷，現皇家劇院（Theatre Royal）所在地，劇院的存在據稱可追溯至 1663 年。

the Mimes and Pantomimes，1728)[3]詳述古羅馬表演者，加上1702至1726年英國劇壇現代娛樂劇目的情況。他的啞劇作品《戰神與愛神之戀》(*The Loves of Mars and Venus*，1716)[4]被評為「角色以舞蹈呈現充沛的情感，整個故事聰明地只用無聲的動作敘說，即使偏好思考的觀眾亦認為它是同時取悅觀眾而又理性的娛樂節目」。

芭蕾舞中的默劇

默劇此時亦受到芭蕾舞界在藝術上的重視。法國舞者、編舞家和芭蕾舞團總監尚・喬治・諾維(Jean-Georges Noverre，1727–1810)遍遊外國首都，對這些城市的舞壇發揮龐大影響力：波茨坦、倫敦、斯圖加特、維也納、米蘭，最後是巴黎。他大刀闊斧地改革舞台服裝，把假髮和衣服內的填充物扔掉。他重新採用啞劇作為鮮明的表達方式，而非設計一段單純的舞步組合過場。他也十分重視音樂的質素及情節的可信性。諾維稱自己的編舞作品為「行動的芭蕾」，是以舞蹈加默劇來說故事的芭蕾，即「以一步、一個手勢、一個動作、一種態度呈現出非言語所能表達的東西」。

---

[3] 編按：書名全稱為 *The History of the Mimes and Pantomimes, With an Historical Account of Several Performers in Dancing, Living in the Time of the Roman Emperors. To Which Will be Added, a List of the Modern Entertainments That Have Been Exhibited on the English Stage, Either in Imitation of the Ancient Pantomimes, or after the Manner of the Modern Italians; When and Where First Performed, and by Whom Composed*。

[4] 編按：有資料指，作品面世於1717年。參見：https://www.britannica.com/topic/The-Loves-of-Mars-and-Venus

域殊的默劇

R・J・博彬 R. J. Broadbent

約翰・域殊（1692–1761），藝名「倫尼」，是英國第一位專演哈樂昆的藝人。

域殊是德魯里巷劇場（Drury Lane Theatre）持牌人[1]基斯杜化・域殊（Christopher Rich）的兒子。域殊和他的兄弟小基斯杜化接手劇場後，曾嘗試飾演雅息士伯爵和其他重要角色，但未能成名，於是前赴林肯律師學院廣場劇院（Lincoln's Inn Field's Theatre）[2]學習模仿的技藝。建基於他所積累的劇場經驗，域殊創造了一種前所未有、我相信在別國也沒有的戲劇模式，他稱之為啞劇，由兩部分組成：第一部分嚴肅，第二部分喜劇化。他運用輕鬆的場景、細緻的動作、盛大的舞蹈、恰如其分的音樂及其他配置，把羅馬詩人奧維德（Ovid）的名著《變形記》（*Metamorphoses*）或一些精彩的歷史故事呈現出來。在兩幕之間，他會加插搞笑的寓言小品，主要是哈樂昆追求歌倫比妮的過程，當中的歷險和把戲妙趣橫生：哈樂昆的魔杖把皇宮和廟宇突然變作陋室茅舍；男人女人化為車輪和櫈；樹木可以變作房屋；柱廊化成鬱金香田；技術人員的一個彈跳會變作大蛇和鴕鳥。

域殊獻演的啞劇全都廣受歡迎，他的啞劇凸顯他的高尚品味。他亦因飾演「小倫尼」（Lun Junr）這個百變英雄而享負盛名，在劇場的宣傳單張上，他會以「倫尼」一名出現。他是首位把哈樂昆這角色

---

[1] 「持牌劇場」（patent theatre）是 1660 年英國查理二世復位後訂立的政策。只有獲政府發牌的劇場才可以上演「嚴肅正劇」。沒有牌照的劇場只能演喜劇、啞劇或通俗劇。在查理二世之前，英國的清教徒主義盛行，明文禁止「公眾娛樂」。

[2] 編按：原文為 Lincoln's Inn Field's Theatre，翻查資料應為 Lincoln's Inn Fields Theatre。參見：https://www.oxfordreference.com/view/10.1093/oi/authority.20110803100106509

推廣到全英國的表演者。他教會眾人何謂靜默而富表達力的行動，何謂心靈的傳譯者。他的默劇充滿感情，當他演出與歌倫比妮分別的一幕時，既繪影繪聲，又動人心弦。他的首本好戲「雕像」和「捉蝴蝶」精彩絕倫，其他啞劇劇目也不遑多讓。

芭蕾啞劇

尚・喬治・諾維 Jean-Georges Noverre

尚・喬治・諾維（1727–1810）身兼舞者、編舞家及芭蕾舞團總監。他為芭蕾舞引入影響深遠的改革。以下節錄自他的著作《舞蹈與芭蕾信札》（*Letters on Dancing and Ballets*）。

我想以這些信札開始，為希臘人稱之為「啞劇」的那種以舞傳意的方式奠定其地位。眾所周知，古代默劇人是如何純用手勢便深深感動他的觀眾。每一位觀眾都要運用自己的想像力，在腦海中呈現出劇中的對話。這些對話必然是真誠的，因為它們總是與觀眾收到的情感訊息脗合。這個反思促使我仔細研究一齣芭蕾啞劇與另一齣話劇（假設兩者在各自的領域都旗鼓相當）。我觀察到，啞劇帶來的效果比較廣泛及統一，而且與演出牽引出來的總體情感更合拍。

無疑啞劇只能就許多事物示意，但就情感而言，它能表達的程度是語言所不能及的，或者可以說，世上有些情感已經超越語言，因此舞蹈與行動的結合完勝。

奧古斯都大帝時期那些享負盛名的啞劇藝人，幾乎沒有留下任何紀錄。假如這些藝人，縱使未可將他們的圖像流傳後世，最少仍能留下其意念和藝術的片言隻語；假如他們能闡明其自創風格有何法則，他們的名字和著作應會流傳世世代代，不致讓所有的努力和寄托轉瞬即逝。追隨他們的人會有所依從，從前可以衝擊想像力的啞劇及手勢藝術也不至煙消雲散。

自從這種藝術失傳，沒有人嘗試去重新發現，或者說，去重新創造它。我雖然不才，但在冒險精神上略勝一籌，故此大膽嘗試創作包含行動的芭蕾舞，把行動和芭蕾重新結合起來，令舞蹈擁有一些表達元素和目標。歷史、神話、繪畫，所有藝術可以共融，把她們的姊妹藝術（譯者按：即芭蕾）從艱澀的面紗中解放出來。現今世代的芭蕾舞總監竟然鄙視這些有力的輔助，令人驚異。總監要盡他的責任，不斷排練一個默劇場景，直至表演者達到人性自然流露的境界，由感覺生起，並以力量與真實呈現眼前那珍貴的一刻。

讓你的舞團起舞，但在舞動之時，讓每位成員流露一種情感，或貢獻所能去成就一幅圖像。讓她們邊跳舞邊演默劇，令她們的外相隨內在的情感時刻轉變。如果手勢和形態無時無刻地與感覺脗合，她們就會富於表達力，演出便會生動。永遠不要帶著滿腦子新創的形態而沒有感覺地去排練。就著你的題材，盡力從所有方面了解。當你的想像力充滿你想呈現的圖像時，它便會自然告訴你合適的形態、舞步和手勢。你的作品會充滿火花、充滿力量。如果你的心中充滿你的題材，作品自會真實地反映自然，為你的藝術注入愛與熱誠。只有能觸動人心、感動靈魂、激起想像力，舞台上的呈現才算成功。

宮庭、村落、日月星辰、風雷雨電、四時變化，所有事物都可為演出帶來變化和喜悅的元素。芭蕾總監應探索一切，所有事物，因為宇宙中的一切存在都可成為他的參照。

正因如此，一齣編排得宜的芭蕾舞不需要文字協助。我甚至認為文字會令行動失去活力，降低觀眾的興致。當舞者受其感覺驅動，她們的表現會隨著不同的感情千變萬化。當她們有如海神普羅透斯（Proteus）般，其形態和眼神透露內心的衝突，當她們的雙臂不受技巧規範的固有動作所束縛，能優雅而自主地向每一個方向移動，它們自會到達合宜的位置來表達情感的層次。

　　當舞者投放其思想和天分在藝術中，她們自會出類拔萃。文字會變得無用，所有事物自會發聲，每一個動作都會充滿表達力，每一種態度自會顯示一種場景。每一個手勢自會流露一個思想，每一下眼神自會傳遞一種新感情，一切都會令人如癡如醉，因為一切都會是對自然真實無誤的模仿。

啞劇觀眾

喬爾森・斯威夫特 Jonathan Swift

愛爾蘭都柏林市聖博德大教堂堂牧喬爾森・斯威夫特(1667–1745)是一位諷刺時弊的作家。著作包括廣為人知的《格列佛遊記》(*Gulliver's Travels*)。

看看,觀眾苦惱不安,
當小丑仍身藏幕後。
白面呈現眼前時,
他們又如何讚嘆!
所羅門王如何判決,
對他們是不值一哂;
浮士德和他的惡魔
登台也無人理睬;
唯有逗弄他們的小丑
門邊一露那興高采烈的笑臉
出其不意又藏回去,
噢!又愛又恨,
真箇度秒如年。
直至他踏足台前,
被人百般捶打,
鼻尖四處亂指。
世上無人明白,
逗弄群眾,群眾被逗,
觀眾袖手旁觀、哄笑、呆望、大樂,
只需小丑被打得夠狠,
整得夠嗆。

愛丁堡市屠夫格斯古

佚名 Anonymous

格斯古（Glaskull）只有一隻眼睛，人們認為他是個善於以符號來表達自己的人。西班牙大使聽聞這個人的故事，想親眼看看，於是便去找他。

大使朝格斯古豎起一根手指。屠夫格斯古看見這手勢，回以兩根手指。大使的回應是三根手指。格斯古伸出拳頭，西班牙大使隨即從袋裡拿一個橙出來給對方看。格斯古接著拿出了一條麥皮麵包。

大使滿心歡喜地離開，面上盡是滿意的生動神情。

別人問他：「您明白了甚麼？」他嚷：「格斯古是個可敬的人。我以一根手指示意，想告訴他世上只有一位真神。他提醒我有聖父和聖子。我用三根手指提示他，還有聖神啊。他跟著握起拳頭，讓我明白三位原是一體。我轉換話題，以一個橙作為『天祐』的記號，代表神賜給世人所有帶來喜樂和富有用處的事物。他以一條麵包回應我，表示真正的必需品比誇耀的果實更應受到重視。」

別人問格斯古：「你明白了甚麼？」屠夫回答：「你帶來的那人毫無家教。他舉起一隻手指，說我只有一隻眼睛，我回敬他兩隻手指，衝他說我一隻眼抵得上他面上那兩個黑洞。他舉起三隻手指，說我們二人之間不會少於三隻眼的瞎話。我不耐煩了，給他看看我的鐵拳，但他取笑我，拿出我國沒有生產的橙，所以我便掏出我國的蘇格蘭麥皮麵包，準備扔他的臉，誰知他就跑掉了。」

十九世紀的法國默劇

查爾斯・諾迪爾（Charles Nodier）看了《憤怒公牛》（Le Boeuf Enragé）這演出差不多一百次了。第一次看時，他一直等待公牛出場，但一無所獲，於是在離場時問帶位員：「這位女士，你可以告訴我為何這啞劇的名稱是《憤怒公牛》？」帶位員回答：「先生，因為這是本劇的名稱。」諾迪爾說：「哦！」舉步離去，對這解釋感到滿意。

— 大仲馬（Dumas père）

我崇拜啞劇。如果我是個百萬富翁，我會興建一所小劇場，或者一所玫瑰淡紅色大理石造的小舞台，內裡裝修得奢華柔靡，每晚上演華鐸風格[1]的啞劇，襯以引人的芭蕾音樂。

— 赫拉斯・貝爾丁（Horace Bertin）

此處躺著一位無需一字一詞即盡言一切的演員。

— 德畢侯為自己所作的墓誌銘，但最後沒有用上

復興古舊的啞劇，說易行難。沒有白丑的啞劇絕對不算數，但我們能找到一位白丑嗎？要找演卡桑德、雷安卓（Léandre），甚至歌倫比妮角色的演員很容易，但要找白丑！沒有白丑，讓我們向啞劇這概念告別吧。

— 法蘭西斯克・沙塞（Francisque Sarcey）

---

1 安東尼・華鐸（Antoine Watteau，1684–1721）是法國洛可可時代的代表畫家，畫風深受意大利即興喜劇和芭蕾舞劇影響。

綜論十九世紀的法國默劇

芭莉・羅夫 Bari Rolfe

巴黎的聖殿大道被暱稱為罪惡大道，皆因在它的眾多舞台上演了無數的兇殺、亂倫、強暴和下毒的故事。它是巴黎的戲劇中心，諷刺地反映了當時動盪不安、充滿革命與復辟的時局。皇室剛解除了只准許兩所劇院上演有台詞劇目的規定，令聖殿大道變身成為一個大展場，到處都是體操家、動物、拉客員、音樂家和古怪的表演。演藝界自此獲得自由，劇院可以製作不同類型的演出，由是產生各式各樣的創新意念和吸引觀眾的形式。連啞劇也加上了對白和音樂。然而，到了 1807 年，新的限制又來了。拿破崙只容許數所劇院公演已有的劇目，小型劇院被規限，只許沒有劇本的體操家、小丑、音樂家、動物、魔術師和啞劇藝人演出。法律規定演無聲的啞劇以外，還要立法要求所有在沒有特權的小劇院演出的表演者，不論劇目，不論角色，必須用以下三種方式之一出場：翻筋斗、走鋼索，或倒立行走。

芬南布力斯劇場（Théâtre des Funambules）在 1816 年啟用，聘請了一個來自捷克的體操家族，名為德畢侯。1819 年，德畢侯家族的其中一個兒子尚・加斯柏，在機緣巧合之下當上白丑角色的一個小替身。他把白丑角色發展成為日漸受觀眾的樣子，並取名為巴蒂斯（Baptiste）。慢慢地巴蒂斯成為法國啞劇的特色模範。在 1945 年公映的電影《天堂的孩子們》（*Children of Paradise*）可看到此角色的極致演繹。

德畢侯（1796–1846）創造的巴蒂斯是個修長、蒼白而優雅的萬事通，身處各種幻想中的鬧劇場面。他風靡了聖殿大道上的所有人，上至文藝名家，下至街童走卒。即使後期啞劇不再受觀眾愛戴，演出中加入了對白和音樂，成為了通俗劇，德畢侯在芬南布力斯劇場還是盛譽不衰，巴蒂斯的劇迷仍然忠心耿耿，直至他離世。

在這段啞劇的高峰期及其後，它受到不少作家、詩人、小說家和劇評人的迷戀，如泰奧菲爾・葛紀葉（Théophile Gautier）、西奧多・邦維爾（Théodore de Banville）、喬治・桑（George Sand）、尚弗革里（Champfleury）、查爾斯・諾迪爾（Charles Nodier）、儒勒・卡利維爾（Jules Clairville）、埃米爾・左拉（Émile Zola）都是其中名人。葛紀葉（1811-1872）寫了《在芬南布力斯的莎士比亞》（*Shakespeare aux Funambules*）一劇刊於《現代藝術》（*L'Art Moderne*，1856）一書，和短劇《舊衣店商人》（*Marchand d'Habits*），通過上述關於德畢侯的電影為現今觀眾所認識。

德畢侯之後

保羅・利更（Paul Legrand）和尚・加斯柏的兒子查爾斯（小德畢侯）繼續在芬南布力斯劇場演出啞劇，但啞劇日漸式微，利更選擇了離開巴黎巡迴演出，小德畢侯則在馬賽落腳。在那裡，小德畢侯、他的徒弟路易・羅夫（Louis Rouffe）和徒孫薩佛林保存了啞劇的生命力，雖然亦在演出中加上了對白和改動了一些角色設定。1890年，薩佛林把啞劇帶回巴黎。薩佛林（1863-1930）是個傳統的默劇人。他畢生崇拜老師羅夫，以至取了老師的藝名「白色的男士」（L'Homme Blanc）作自己的藝名。他稱以規範動作為本的傳統默劇為「學院默劇」（mime d'école）。他最受歡迎的作品就是利更一直在演、直到德畢侯去世還不怎樣成功的劇目《舊衣店商人》。薩佛林的默劇在馬賽同鄉當中極受歡迎，可是在巴黎就被視為過時了，《舊衣店商人》也僅被當作有趣的懷舊劇目。

巴黎人早已移情於綜藝喜劇，然而啞劇還有小量支持者。「富有的業餘愛好者」勞柯・納雅克（Raoul de Najac，1856-1915）和保羅・

瑪格麗特（Paul Margueritte，1860–1918）召集了一群喜愛啞劇的演員和劇作家，稱為「芬南布力斯之友」（Cercle Funambulesque）。他們嘗試復興啞劇這藝術形式和它的人氣。1888 至 1890 年之間，「芬南布力斯之友」資助了大約八個啞劇製作，演員包括納雅克、瑪格麗特、費莉西亞・馬勒（Félicia Mallet）、利更、佩帕・茵佛利斯（Pepa Invernizzi）、拉歇爾兄弟（the Larcher brothers）和珍・梅（Jane May）等在之後十年「美好年代」（Belle Époque）成名的女演員。「芬南布力斯之友」是傳統啞劇的最後一章。之後，它以變換了的形式再繼續一陣子，然後在下一世紀初幾近消聲匿跡。

德畢侯的白丑

西奧多・邦維爾 Théodore de Banville

西奧多・邦維爾(1823–1891)是劇作家、劇評家及詩人。時人稱他「啞劇的門徒,那已煙消雲散的迷人傳統擁戴者」。他分別在1857年及1869年著有兩冊詩集《向芬南布力斯喝采》(*Odes funambulesques*)。以下節錄自他的另一本著作《我的回憶錄》(*Mes Souvenirs*)。

你所知的白丑,就是俊美、優雅而具諷刺性的德畢侯。這名世上無雙的演員,具備顛倒眾生的一切本領。他的出生、他的貧困、他的天才、他孩子氣的天真都屬於眾生,然而,他也回應了原始靈魂所需的優雅與瑰麗。即使貴為公爵或王子,亦不如他那般深懂如何親吻一隻玉手,如何觸碰一位女性。即使當他虔誠地向頌唱著韻文詩的仙女鞠躬,而她傲然展開紅寶石翅膀振翼時,他也斗膽以僅僅暗示來模仿她的形態,卻不會遭到仙子的責備,群眾也不會認為他冒犯神靈。他就是這種人人都不介意縱容的小親親。

我用上「暗示」這詞,因為他永遠不會強調任何事物,他會以輕靈的手勢表達自己所想,跟著快快地繼續做其他事。「不急也不停」正正是他展現絕頂天賦的座右銘。他以藝術家及詩人般的抽離狀態浪遊於宇宙,然而在有需要時,也會向觀眾席上的平凡人展示他充滿人類氣息的一面:煮一鍋椰菜湯、比一場劍、把一雙舊拖鞋修補至完美無缺。街頭的「天堂孩子們」向他擲橙,他會拾起來,像個孩子般笑嘻嘻地把橙藏入口袋,與眾同樂。一瞬間,他又變成倨傲的王子、華美的唐璜。他細膩而簡潔的演技足以令我們那些緊張兮兮、動不動就熱血上頭的演員們反思。

不同的佈景——沙灘、森林、城堡、擠擁的街道——靠著由人在幕後轉動的一個大框不斷轉換，升上漆成藍色的天空背景或沉入背景下面。側幕非常窄，有時可以看到工作人員的雙手。你覺得這種「穿崩」會破壞或減低台上營造的幻象嗎？不會，剛好相反。想想看，你就會明白。劇場中愈是肯定有人的存在，群眾就愈能看見台上的人與他一樣的在思考、在生活，和他並無二致，他們就愈會相信台上發生的一切。相反地，如果物件都完美得嚇人，那些木材和布製品沒有人的味道，觀眾反而會漠不關心。

佈景轉換，燈光中的哈樂昆和歌倫比妮激情無限地穿越於滾滾紅塵的人群中——他，一身雪白、面色蒼白的白丑；他，偉大的德畢侯，細緻地穿越精彩惹笑而又抒情的靜默場景，有如細數他貫穿無數狂想曲的念珠。

這一刻他是位醫生，狂熱地派發他那些魔性的藥丸。過了一會兒，在一群普通不過的病人當中，他注意到一名來自巴黎的紳士：憂愁、蒼白、貧血，失去了生存的慾望，甚至對憂愁本身也充滿厭惡。白丑醫生說：「天啊！他的腦裡有些很特別的東西！」他拿起手術刀乾淨俐落地切開紳士的頭顱，將上半部像個蓋子般拿起。打開了的頭顱裡，有一隻嚇壞的小鼠跑出來，在高低不平的舞台上拼命奔跑。

他的啞劇涵蓋所有現代人對戰爭的憎恨、所有關於士兵、軍營、軍官俱樂部的笑話。在《快樂的軍人》（*Happy Soldiers*）一劇中，白丑被徵召入伍，被迫穿上軍服，像一隻中毒的蝴蝶，圍著燭火簌簌拍翼。我看見他穿著工作兵服，拿起巨大的彈托執行任務，在豬糞堆裡差點淹死，被上級軍官虐待，在操練時把步槍左戳右戳，一時插在別人腳背，一時捅向人家的眼睛，總是被軍帽弄得一籌莫展。

噢！同樣的一位白丑也是個令人喜愛的僕從。他快速地呈現維克多・雨果（Victor Hugo）筆下那庸俗的呂・布拉斯（Ruy Blas）是何等厚顏無恥，毫無轉接地變得卑躬屈膝！他悉心呵護、細意打扮、來回輕擦、努力磨光主人卡桑德的衣履鞋襪，為他撣走孖襟大衣和帽子上最微細的塵埃，然後毫無徵兆地一腳把主人踢出門！當主人進入屋內，向他遞出帽子。白丑恭敬地接過，以衣袖輕柔地撫摸它，弄平摺痕，把塵埃吹走，惟恐出事般把它掛在牆上，但掛勾不存在啊，那帽邊摺成三個豎角的不幸帽子就在滿地沙塵中可恥地翻大筋斗。僕從的責任是把主人的帽子掛在適當的位置，但他沒有責任去確保那位置有掛勾。大文豪歐諾黑・巴爾扎克（Honoré de Balzac）還可以說甚麼去表達如此殷勤而無動於衷的家居服務呢？

其他演出包括各種關於冒險的啞劇：強盜、仙女、精靈、警察、混為一談的傳說、傳統、寓言、神話和天神們。白丑在這些充滿英雄氣概的無聲劇中飾演鄉下小伙子，有時害羞，有時勇敢，跟著音樂拍子，並在「大山婆」女助手的協力下把揮舞尖刀的強盜一刀斷喉。

到了差不多最後一幕時，觀眾已經可以聽到隱隱的淙淙、潺潺、濺濺聲，以及水的清新氣息。知情的街童早已不耐煩地戰慄起來。終於，背幕升起，一座三層高的龐然大物顯現。它由貝殼、石頭和雕刻柱造成，從其高處有恍如水晶的水一層又一層地傾倒下來，激起被出色的燈光照得閃亮閃亮的水花。在金銅漆面的祭壇上閃爍著玫瑰色的火焰，愛神手持火把為哈樂昆和歌倫比妮證婚，觀眾熱情高漲，令場景極為壯觀。我從未見過比這更美、如白雪燃亮般的清澈水景，當然，芬南布力斯劇場的海報早已宣告：「本節目將會以瀑布奇景結束！」

如何聆聽啞劇

赫拉斯・貝爾丁 Horace Bertin

赫拉斯・貝爾丁（西門・賓士［Simon Bense］的化名）（1842-？）（譯按：卒年應為1917年）是馬賽的劇評人和啞劇劇本創作者。下文來自《芬南布力斯劇場的夜演》（*Les Soirées Funambulesques*）。

某個星期日傍晚，馬賽的阿爾卡薩劇場（Alcazar Theatre）將會上演小德畢侯的啞劇劇目。

劇院內氣氛高漲，充斥著煙味和帶著醉意的交談聲。每位出場的演員都迎來觀眾雷動的叫囂和口哨。最後，劇院主事宣佈啞劇登場，德畢侯的其中一齣名作《白丑在非洲》（*Pierrot in Africa*）隨著布幕開放展現。全場立即歸於深沉、近乎宗教性的肅靜。

當綜藝喜劇、話劇或歌劇開始時，有時仍然會聽到觀眾的竊竊私語或談話，也有開關劇院門的聲音。相反地，每次當白丑劇目開始，觀眾連最輕微的咳嗽聲都不能容忍，有如收到神秘命令，會立刻要求自己極力保持絕對的沉默。

為何如此？為何正正在此刻，正當聆聽全無重要性之時？觀眾以眼睛和智慧去吸收默劇內容，以至從旁點評和豐富它的音樂。觀眾的注意力最為集中，因為他們會自行「發明」啞劇的對白，有如儒勒・雅南（Jules Janin）的著作《樸實劇場的故事》（*Histoire du théâtre à quatre sous*）[1]所言：「在那種意念與物件混和的狀態，經由劇作家、舞

[1] 編按：書名全稱為《德畢侯：樸實劇場的故事》（*Deburau: histoire du théâtre à quatre sous*）。

台工作人員和音樂家的巧手，讓意念快速地在觀眾眼前掠過，觀眾半夢半醒，猶如著魔沉睡。」

他對四周一切毫無所覺，全身心都被眼前靜默的戲劇吞沒，夢一般的定格。

我們相信，當哪天我們聽到白丑和歌倫比妮的聲音，魔咒便會消失，那夢亦會離我們而去。觀眾不會聆聽啞劇，因為若然如此，眼睛及心神便不再復一往無前的專注。專注的眼和心神——確實，已是一切……

默劇人的回憶

勞柯・納雅克 Raoul de Najac

勞柯・納雅克（1856–1915）把啞劇的主角由白丑轉為哈樂昆。在他的時代，有配樂的默劇變得愈來愈重要。下文節錄自《默劇人的回憶》（*Souvenirs d'un Mime*）。

拙作是否開啟了歌詞與音樂之間的新時代？我不會自翊為創新者，但我對音樂現今在啞劇中所佔的重要位置確有不少貢獻。

我說的啞劇並非指馬戲、體操炫技、展覽珍禽異獸，也並非像音樂廳般，不是穿著暴露的女郎；亦非巴黎的小演出：那些小姐們在沒有追求者纏身時浸淫於劇藝、發揮表演慾的平台。一般來說，這些小姐們有那種會登報的拍檔：「廣受歡迎、優雅大方的默劇人，全世界都為她鼓掌。」我沒有胡謅。以上種種與我指的啞劇絕無關係。

我指的啞劇是不需要文字語言的短喜劇或戲劇，觀眾更容易理解劇情，而音樂提供強調情境的功能。當白丑哭泣，樂團變得憂傷；當白丑開始笑，樂團也奏出歡樂。

當德畢侯在小小的芬南布力斯劇場如日方中時，樂團只是在演員上場離場時彈奏一串顫音作提示罷了。後來他們會不停演奏著名的舞曲，每次轉幕就改奏新曲，但演員對此不予理睬。演員追隨著當下的靈感發展劇中角色，天馬行空不受規限。如果是富經驗的默劇人，這種演法只會令劇目更精彩，但今天的年輕或業餘演員不一樣，給予他們控制權並不明智，以音樂規範可以防止他們在台上失控。

在《哈樂昆的回歸》（*Le Retour d'Arlequin*）一劇中，正如我創作的其他啞劇，演員的演繹並非完全受制於樂隊。我可以即興發揮，只需要在某些時刻，手勢與規限脗合，透過我的默劇動作與樂譜同一時間表達出來。這個要求並不會妨礙觀眾，它會幫助他們理解我，而作曲家的參與令劇作易於理解。

愈吃得多，胃口愈大。我重視音樂，音樂家們就賦予它更高的重要性，他們要求默劇人配合音樂，有如歌者的聲音或舞者的雙腿。在某種意義上，他們的音樂成為了小小的芭蕾舞，無需天分，只需靈敏的耳朵和略為柔軟的肢體，便可把它呈現。

有位記者詢問日漸年邁的利更，現代默劇中音樂的角色為何？他回答：「我認為它應該與現在截然不同，現在的音樂太規範及精確，有如一對虎鉗般限制著演員，把他的手勢限制在音樂的規範內，令他不能發揮自身最高的能力。他再也不能運用自己的風趣幽默和想像力。那些默劇人做的十分細緻，真的，然而那已非我心目中的啞劇。」

無論你在培養哪種藝術形式的能力，總括來說，就是要有天分和努力。至於啞劇老師，似乎是多餘的。如果你沒有天分，老師不會有甚麼幫助；如果你有天分，他可以扼殺你的個性。表情達意的方式人人都不一樣，只有屬於自己的方式才是最真誠。老師會嘗試把他的方式灌輸給你。傳統的手勢不難學會——但你應盡量不要使用，觀眾不明白這些。舉個例子，你不必上好幾課才曉得「結婚」是右手做一個把結婚指環戴上左手第三指的動作。

如果你的手勢清晰，你的默劇又有原創性，你就會成為偉大的藝術家。愚見認為以上兩種特質使德畢侯——他是自己的學生——成名。

創作和演出啞劇的藝術像吹肥皂泡一樣。你獲得瞬間的成功，跟著灰飛煙滅。請包涵我在之前數頁嘗試分享原本微不足道的自己和我的啞劇。手勢轉瞬即逝，文字卻會留傳……少許吧。不幸地，刊登出來的文字並不能傳達手勢的意思。在戲劇的墳場最不起眼的角落，會有我即興的劇情嗎？我怕不會了。當我仙遊到另一個世界去演啞劇時，沒有人會留意這麼一個的巡迴演出。

昨天與今天的白丑

保羅・瑪格麗特 Paul Margueritte

法國小說家保羅・瑪格麗特（1860–1918）常常和其弟弟維克多（Victor Margueritte）合作撰寫小說。他也寫啞劇劇本，偶然會粉墨登場。下文節錄自《默劇人和白丑》（*Mimes et Pierrots*）。

是啞劇嗎？雖然如此，它仍是殊堪玩味。看，它已經死了，淪落為鬧劇、馬戲團小丑表演。然而，以手勢和面部表情的變化傳達意念——那不是一種獨特、原始的藝術，而是戲劇之源……在其中加入蠢蠢欲動、現代性、興奮心情這些元素，不是當上默劇人的原因嗎？像當上歌手或演員一樣。是的，我四出尋覓，撫心自問，誰是登峰造極的演員，以其天性、塑造角色的能力、傳統上可以最完美地表達人類的特質？就是白丑。

由羅馬、阿達侖的白面藝人傳承下來的白丑；法國那種壞笑著、滲出惡作劇的譏諷、那種天真無邪變作心術不正卻又看似無辜的白丑；經由德畢侯在芬南布力斯劇場演出而一舉成名的白丑，繼而是小德畢侯、利更，然後就是亞歷山大・古昂（Alexandre Guyon）、羅夫。但是如今，白丑已完蛋了，最後一代默劇人垂垂老去，啞劇已死！啊！要它重生而且轉化！

看吧，快活的白丑已經過時了。愛人白丑、僕人白丑、惹笑白丑——我才不要看這些。傳統如此？是的，傳統滅絕了。白丑不會再是以往的白丑，你會看到另一種白丑。對我來說，我已經構思了悲劇白丑。你看過亨利・里維耶（Henri Rivière）的白丑嗎？十分好。但他演繹的白丑具有魔性，是魔鬼。我的白丑是悲劇性的。悲劇性，因為他害怕，他是恐怖、罪惡、悲慟。說真的，為何沒有人想過這方面？有誰能不被白丑略帶猶疑的步姿，在寬袍大袖下無聲的滑動，不動之時柔軟的袍袖卻又似堅如磐石，恍似石像般的頭顱內卻藏著令人不安的特質打動？阿道夫・威萊特（Adolphe Willette）、若利斯・卡爾・於斯曼（Joris-Karl Huysmans）都認為他應身穿黑衣，但是，不，不，白丑需要白衣。

最後一個白丑

薩佛林 Séverin

> 薩佛林（1863–1930）是最後幾位傳統白丑之一。1890 年，他把默劇從馬賽帶返巴黎，也只有他才能以《舊衣店商人》的精彩演出廣受歡迎。以下為 1923 年美國文藝學者巴雷特・H・克拉克（Barrett H. Clark）與薩佛林的訪談紀錄。

德畢侯是我們所有人的祖師。我是小德畢侯的徒孫，我的老師是其弟子羅夫。小德畢侯轉往法國南部發展時，不時會在馬賽演出。羅夫在那裡加入他的劇團。我跟隨羅夫學藝，但感覺與直系白丑傳承親密，因為我在少年時代（應該是 1860 年代末期或 1870 年代早期）曾有人帶我去看小德畢侯演出。我的記憶只有一個引人入勝的神秘白影——當然我記不起詳細情形。我保留著小德畢侯的一件戲服，唉，它已經變黃了！白丑的白衣是他命定要在上面書寫的白紙，是他命定要彈奏的鋼琴。白丑塗上的白面是他服裝的一部分，也是他命定要在上面書寫的。被白面掩蓋後，要表情達意比沒有化妝困難許多，然而藝術不就是必須通過它去克服困難才可盛放嗎？透過白丑的白面表達，只能用相當誇張的方式：我們追求大致的效果，避免細眉細眼和不必要的神態。明白嗎？我們有責任去尊重白丑角色的蒼白面孔，自然的面孔會破壞整體完美的白色交響樂。

我的藝術並非全部是傳統，但如果沒有傳統，我們立足何處？無論我是否偉大的藝術家，在傳統上我師承德畢侯。有時人家會要求我現代化，把一些古老啞劇的傳統去掉，但我堅持「現代」就是歷久常新。即使當年的創新者德畢侯，亦是古羅馬和古希臘的默劇名家悠久傳承下的其中一位。每位新晉默劇人當然屬於自己的時代，這是他命中注定的。德畢侯的創作代表他的時代氛圍，小德畢侯也如是。

這就是他倆超凡入聖的原因。白丑已經由一個小丑發展成全人類的代表，接受所有人的苦，享受生命，今朝有酒今朝醉。他是個理想主義者、饞嘴鬼、英雄、懦夫、隱修士和感官主義者，他是世界性的。

我對人們把默片裡的演戲比喻為啞劇不以為然。電影之於我的藝術，猶如攝影之於繪畫。說真的，那些幼稚的取巧方法已令熒幕上不需要真正的啞劇：用一呎高的文字告知觀眾演員每次改變表情——或者是被人當作是改變了表情——有何重要性。幸好我們有卓別靈。他是電影演員中最棒的——同時也是位真正的默劇人。他若演白丑，定能勝任。你當然已經留意到差不多他所做的每件事都蘊藏一股令人感傷的深意。那真是天才橫溢。他是個偉大的藝術家。

十九世紀的英國和歐洲默劇

聖誕時節需要三件事：
梅子布丁、牛肉和啞劇，
首兩件欠奉還可以，
最後一件不可少。

— 古老的啞劇宣傳單張

莎翁和大自然的妙語艱澀難懂，
佚名的格里馬爾迪小丑來了，
「感覺良好！」
＊　＊　＊
「他整天正經八百，
晚上要他笑一下！」
＊　＊　＊
英國發明了啞劇這種特別宜於英式天才發揮的藝術形式。它與所有其他的藝術肯定同樣吸引，竟然從沒有任何有天分的英國人嘗試演出，令人詫異。

— 麥克斯・畢爾邦（Max Beerbohm）

啞劇是表達靈魂的形體，是古往今來世界人民的語言。它比文字更善於表達喜與悲的極致。對我而言，看起來美並不足夠，我要的是心的參與。

— 威嘉諾（Viganó）

綜論十九世紀的英國和歐洲默劇

芭莉・羅夫 Bari Rolfe

當「德畢侯」象徵了巴黎、啞劇和芬南布力斯劇場，同期的「格里馬爾迪」(Grimaldi) 就是英法海峽另一邊「童話鬧劇」(panto) 的同義詞。童話鬧劇就是在英國自己發展出來的一種啞劇的暱稱。

約瑟夫・格里馬爾迪 (Joseph Grimaldi，1778–1837) 繼承祖父和父親的啞劇專業。他創造的小丑形象是如此名聞遐邇，直至今天小丑在西方仍然暱稱「祖兒」(Joey)，向他致敬。格里馬爾迪改變了十九世紀的啞劇。他把原本是潘大龍的僕人——一個毫無重要性的角色——轉化為主角「小丑」，馳騁於一大堆惡作劇、貪吃、棒打、順手牽羊、諷刺和魔術之中。祖兒自己集體操家、雜耍家、劍手、舞者、歌手和默劇人於一身。他自己動手造道具、自己設計和畫佈景，又編排台上的舞蹈和比劍場面。他也是一名正劇演員，演過莎劇。他逝世後，大文豪查爾斯・狄更斯 (Charles Dickens) 為他（沒出版的）回憶錄當編修。

英國的啞劇得到貴人的大力資助，甚至連名演員大衛・加里克 (David Garrick)[1] 也參與這類演出。他挖苦說莎劇不賣座但啞劇做到了。童話鬧劇製作通常以一個神仙故事開場，然後有兩、三小時哈樂昆式的冒險劇目，由源自意大利即興喜劇的哈樂昆、歌倫比妮和其他角色，加上必備的角色「小丑」和「警察」組合出愛情、挫折及追逐的情節。開場劇與哈樂昆冒險故事之間有一幕轉場，是運用複雜機械的眩目轉景，宛如魔術：擺放了沙發和椅子的宴會廳變成車廂和駿馬；漆黑的洞穴變成美麗的花園。漸漸地開場故事變得更重要，哈

---

1 十八世紀極具盛名的莎劇演員。

樂昆冒險故事相對式微。維多利亞女皇中期時，整個劇目就是開場故事，當中象徵式地加插一場哈樂昆冒險故事。到了二十世紀，連象徵性的那一小部分也不見了。

英國的漢隆－利斯（Hanlon-Lees）兄弟班擅長詩意地神志不清般的啞劇。這六個生於1836至1848年間的兄弟年少時已登台獻藝，逐漸發展出一套不可思議、令人屏息靜氣的體操式短篇啞劇風格。在賣弄他們翻躍騰挪的笑料當中，他們會撞在一起、互相拋擲、爬上對方的身體、跌下、衝來衝去和壓成一堆——保持著安詳而無辜的表情。歐美觀眾狂熱地追捧他們，有些作家甚至從他們的表演中看出哲學來。作家左拉認為他們的啞劇迷亂譫妄卻又令人困惑，正因其詩般的幻想不只是純粹展現技巧和膽色，更譏諷人類種種的毛病及弱點，笑中實藏著哀愁。邦維爾從他們「不可能」的體操中找到類近詩人那種上升、強烈的節奏，類似釋放我們內在的神祇與野獸的力量，及至高造物者的和諧與精確。

麥克斯・畢爾邦（Max Beerbohm）悼念丹・雷諾（Dan Leno，1861–1904）時寫道：「如此細小又脆弱的燈罩難以長久地承載這麼熾熱的火焰。」這位著名的啞劇演員三歲便和父母一起登台，其後與哥哥創作了一幕舞蹈。對雷諾來說，音樂廳是他的家、學校和生活。他是木屐舞頭號舞者、搞笑歌手和戲劇演員。由倫敦劇藝勝地德魯里巷演出啞劇開始，雷諾一帆風順，包括在御前獻演男扮女裝的角色。公眾和劇評人稱他「惹人憐愛」和「可愛」。無論是令人抓狂的場景還是私密的獨白，他都能糅合略帶憂鬱的渴望與風趣、聰敏與創造力。在他風華正茂的四十三歲之時，他陷入精神錯亂，不久之後與世長辭。

美國的默劇

美國的默劇起初是由英國和（特別是）法國輸入。啞劇沒有語言界限，英式啞劇卻又太本土，難以引起外國人共鳴，因此早期在美國大城市巡迴演出的就是法國的舞者、走鋼索者、園遊會賣藝者和默劇演員了。法籍演員亞歷山大・普拉西德（Alexandre Placide）監製多齣芭蕾啞劇，並在當中飾演白丑和哈樂昆。

美國出生的小丑喬治・霍斯（George Fox，1825–1877）被稱為「美國的格里馬爾迪」。他早期的啞劇參照格里馬爾迪和著名的法國拉威爾（Ravel）芭蕾啞劇團。霍斯最著名的製作是《蛋頭先生》（*Humpty-Dumpty*）。其他美國啞劇人也逐漸冒起：東尼・丹尼亞（Tony Denier）與P・T・巴納姆（P. T. Barnum）在各地巡迴，以哈樂昆式的把戲縱橫啞劇二十年，詹姆士・馬菲特（James S. Maffitt）仿效白丑和格里馬爾迪的短篇劇目，連服飾也相近似。

歐洲的默劇

丹麥哥本哈根的蒂沃利花園（Tivoli Gardens）現在仍保留了十九世紀啞劇的一絲有趣遺風。丹麥的啞劇源自意大利即興喜劇，但傳入該國的版本卻有了一些改動：商人潘大龍採用了十七世紀法式意大利即興喜劇角色老頭子卡桑德的名字變音，喚作「Kassander」，是個富人；傳統意大利即興喜劇的男女主角伊莎貝拉（Isabella）和尼利奧（Lélio），也被原本只是僕人的哈樂昆和歌倫比妮取代成主要的戀人角色；本來的配角白丑成了主角。這種方程式自1700年代早期，域殊的時期便已存在，丹麥國內也有演出，不過要到1800年，朱塞佩・卡索特（Giuseppe Casorti）才算是在該國正式打下啞劇的根基，其後來自英國派斯馬戲家族的詹姆士・普萊斯（James Price）成為卡索特的拍檔。1843年蒂沃利啞劇劇院（Tivoli Pantomime Theatre）開幕，時至今日（譯按：1970年代）它仍然在身兼舞者、編舞和導演的尼爾斯・拉森（Niels Bjørn Larsen）帶領下屹立不倒。

默劇與舞蹈

「現代芭蕾舞之父」諾維的其中一位傳承者卡羅・布拉西斯（Carlo Blasis，1797–1878），出生於意大利，是享譽歐洲數十年的舞者、作家、編舞和理論家。和諾維一樣，布拉西斯強調啞劇在芭蕾舞中的重要性。他著作極豐，出版了多本關於舞蹈技巧、歷史及哲學、文學和劇場人物回憶錄，更親自為教科書做插圖。

格里馬爾迪

佚名 Anonymous

約瑟夫・格里馬爾迪（1778–1837）令英國啞劇聲名大噪，小丑角色的統稱「祖兒」因他而來。以下文章節錄自《不同年代流行的娛樂》（*Popular Entertainments Through the Ages*）一書。

他又大又圓、閃閃亮的眼睛，因狂喜正在翻滾。他闊大的口，好像能伸展到無窮無盡，看來用以表達世上所有形而下的享受與厭惡適合不過。他的鼻子！有誰能形容那靈活的鼻子？它變形、它扭動——一時向外，一時向上，一時向下，又擴張，又收縮，他咧嘴而笑的表情下，洶湧著蔑視、憤怒、恐懼和喜悅。格里馬爾迪的鼻子！他彷彿在我眼前，栩栩如生，將鼻子扭到一邊，瞇住，然而閃爍著的眼睛透露了他的歡欣；在巨口中震動不已的舌頭反映了他是如何的享受。他的下巴能夠驚人地下跌，我不會說跌到西裝背心的哪一顆鈕扣，總之是跌到一個嚇人的程度。

格里馬爾迪除了是小丑中的小丑外，更擁有演話劇、啞劇或無言動作戲的天賦，因此非一般小丑可比。正因如此，約翰・坎伯（John Kemble）[1] 稱他為世上最佳的啞劇人及滑稽喜劇演員。在英國的舞台，除了愛德蒙・基恩（Edmund Kean）[2] 這唯一的例外，沒有人可與格里馬爾迪相比。坎伯身為他承傳的演藝家族王國的一分子，曾接受格里馬爾迪的私人訓練，學習含蓄優雅的動作藝術。彼德斯咸男爵（Lord Petersham）和其他皇室子弟紳士也如是。我曾經在一次慈善演出看過格里馬爾迪演《馬克白》（*Macbeth*）看見匕首幻象及

---

[1] 著名莎劇演員及劇場經理。

[2] 莎劇演員。

弒君的一幕，是一個在黑暗中以啞劇來演繹的場景，他穿的是小丑服。雖然如此，而他又只是基於台詞中寥寥數字發出幾個演說般的音節，但全院死寂，我戰慄不已，觀眾中也有其他孩子跟我一樣……另一次，他在演出中倨傲且口齒不清地「向軍團發號令」，以致柯芬園（Covent Garden）的經理收到騎兵專用的聚餐廳特地送來的私人訊息：如果格里馬爾迪先生繼續「他 X 的死蠢行為」，對方就撤回給柯芬園的資助。再來一個：某齣新創作的聖誕啞劇，第一個星期上演時，他有份在三人組合中獻唱《陷入愛河的蠔兒》（*An Oyster Crossed in Love*）。他坐在台上，就在台燈下方，身處一個鱈魚頭和一隻碩大無比的蠔之間（蠔先生是三重唱的低音部，大殼隨著曲詞開開合合，準繩之至）。包廂第一排觀眾席上所有你看到的孩子，凝視格里馬爾迪哀愁的面容，眼淚汪汪。顯然，儘管他臉上塗著怪誕的油彩，觀眾還是被他荒誕誇張的愁緒成功地感染到了。

漢隆－利斯兄弟班的美國之旅

保羅・曉高力 Paul Hugounet[1]

來自英國的漢隆－利斯六兄弟在美國和歐洲大陸走紅。保羅・曉高力 (1859-？)[2] 是默劇史學家和默劇監製。以下評說取自其著作《默劇人與白丑》(*Mimes et Pierrots*)。

英國的默劇有兩種非常突出的部分：一方面是定格不動、圖畫般的「擬定活圖片」，另一方面是超級好玩、看得人天旋地轉、快得眼睛跟不上的翻騰跳躍。在我結束對這種「啞劇中的腦癇」的概述前，我一定要談談為我們展示英國默劇最極致的默劇藝人們。我指的是漢隆－利斯兄弟班，理察・萊斯里德（Richard Lesclide）為他們立傳，弗雷德里克・雷加梅（Frédéric Régamey）為他們的姿態繪製插圖，而整個巴黎也為他們在萬象劇院（Théâtre des Variétés）和女神遊樂廳（Folies Bergère）的演出鼓掌。他們不單只是獻演那些難以置信的英式惡作劇啞劇。他們是出色的默劇藝人，同時也是無人可比的幻象家，和巴納姆合作促成了出名的會說話的「加拿大無毛貓」(Sphynx) 表演。

[他們去美國「做一轉」。] 美國佬起初很頑固——那裡的警方對海報指手劃腳，印刷商咄咄逼人。漢隆－利斯兄弟們怎麼辦？

他們不要海報，反正都會很快被其他海報掩蓋的。經過數天秘密的努力，這六兄弟在美國的街頭巷尾現身，穿著超大碼的鞋子。一陣步過，鞋底在行人路上留下「來看漢隆－利斯兄弟吧！」的印記。

---

1 法國作家，十九世紀巴黎默劇推動者「芬南布力斯之友」的中堅分子，著有多本默劇書及默劇劇本。

2 編按：未能查證曉高力的卒年。

在巴爾的摩市的宣傳就更富活力和出人意表了。兄弟中的三人爬上華盛頓紀念柱，從高處靠著矮牆欣賞下方一望無際的城市全景。下面擠滿了人，有些無聊者朝上望。忽然，喬治（George）一條腿跨過矮牆，好像要跳下來。亨利（Henry）抓住他的腿，羅拔（Robert）準備就緒，三兄弟就這樣在空氣中玩鬧。所有行人停下來，目瞪口呆地看他們令人暈眩的翻滾及怪異的體操。當差不多有三、四千名美國人聚集在下方時，亨利灑下一大批「假美金」，上面印著的，正是那永恆不變的邀請句：「今晚來看漢隆－利斯兄弟班吧！」

故事最可笑的部分：當三人從紀念柱爬下，一名警察已在恭候，要以企圖自殺罪拘捕喬治！[3]

---

[3] 編按：有資料顯示，漢隆－利斯六兄弟為湯瑪士（Thomas）、喬治、威廉（William）、阿爾弗雷德（Alfred）、愛德華（Edward）、弗雷德（Frederick），未有提及亨利及羅拔。參見：https://www.britannica.com/topic/Hanlon-Brothers

丹・雷諾

賈克・查爾斯 Jacques Charles

丹・雷諾在英國童話鬧劇界有過一段短暫卻璀璨的時期。賈克・查爾斯是二十世紀初巴黎奧林匹亞音樂廳（Olympia）的場地總監。下文取自他所著的《音樂廳百年史》（*Cent Ans de Music-Hall*）。

我把雷諾的故事留到最後。某程度上他是我在本書之前的部分提及過的所有人的先驅。他出生在 1861 年，也在認識他本人的麥克斯・迪爾利（Max Dearly）眼中，是英國啞劇界中最偉大的喜劇家。

雷諾一出生便注定入戲行。他的童年十分坎坷，艱苦的印記終生伴隨著他。三歲時已經和比他大兩、三歲的哥哥傑克拍檔登台，兩個孩子在酒吧裡要跳上數小時舞去賺取客人掉在地板的賞錢，並換取老闆允許他們在閣樓地板上睡覺。

到了冬天，天氣實在太冷，兩個孩子會比賽扮鬼臉去引對方發笑。雷諾說：「笑是最佳的暖包。」他畢生都在實踐這條道理，剛在台上引得觀眾捧腹不已，甫進入台側，他又會說笑話逗得工作伙伴們大樂。「信不信由你……」是他永遠的開場白，也是引爆一場大笑的開端。台上的他總是在動，他的血液中流淌著停不下來的因子。

1878 年，雷諾的名字首次在布拉福市普爾文萬象劇院（Pullan's Theatre of Varieties）的海報最底部出現。他會與任何人比賽跳木屐舞，而且對手總是筋疲力竭地認輸。

1880 年，在連續六晚不停跳木屐舞後，他獲得冠軍名銜，並維持此稱號直至 1883 年，因不公平的裁定失落冠軍。自此之後，他開始邊跳舞邊演唱。

喬治・康傑斯（George Conquest）[1]看到他的演出，找他來演兩個啞劇劇目。完成和康傑斯的巡迴表演後，他在德魯里巷建立自己的劇場，成為鎮場之寶直至離世。這個劇場是他創作出「羅賓漢」以至「四十大盜」等主要角色的地方，角色不論何時都精神飽滿，熱火沖天。

可是，正如畢爾邦寫的：「如此細小又脆弱的燈罩，難以長久地承載這麼熾熱的火焰。」雷諾早在成名前已被悲慘的童年拖垮。他在四十三歲的英年辭世，為他的名曲《不再》（*Never More*）留下了悲劇的意涵。

---

[1] 十九世紀後期著名的劇作家、劇院經理、體操和啞劇藝人。

蒂沃利花園的啞劇劇團

朗奴・史密夫・威爾遜 Ronald Smith Wilson

朗奴・史密夫・威爾遜是蒂沃利花園的啞劇劇團團員，也是默劇人、舞者、教師和編舞家。他每個劇季都參與劇團演出，其餘時間在英國教學。

夏日的黃昏。哥本哈根的消閒公園入口處，著名的華風劇院（Chinoiserie theatre）前聚集了一批觀眾。他們當中恐怕沒有幾個會意識到眼前是世上獨一無二、劇場歷史中其中一個最不尋常的活古蹟。

十六世紀的意大利觀眾，會否認出他們喜愛的角色演變出來的樣子？「偉大的潘大龍先生」，那位色迷迷的威尼斯人，變成了有些吝嗇的正人君子，十八世紀的商人角色卡桑德。數名有趣的僕人消失了，只剩下白丑一個。歌倫比妮和哈樂昆也由「基層」角色升級為備受愛寵的嬌嬌女及她的窮男友。

啞劇於1800年在丹麥落地生根。那年卡索特家族和他們的劇團，總共有二十二名舞者、體操家和小丑，在卡拉姆堡巴根遊樂園（Dyrehavsbakken）演出。這個遊樂園現在還在城市外圍運作。[1] 他們的演出是如此成功，乃至於被召到皇室劇場表演。當年他們第一批劇目中的「機械塑像哈樂昆」，今日仍然在蒂沃利花園演出。飾演白丑的卡索特有特殊的體操天分，能夠拿著一把椅子和一張桌子走鋼索，途中還能坐下來吃一頓豐富的午餐。童年時的安徒生看過他表演

---

[1] 譯按：本文寫於1970年代，但此遊樂園至今仍在，已開業438年，是全球歷史最長的遊樂園。

後如痴如醉，在母親面前表演了整整一齣啞劇，甚至於他長大後還創作了許多有歡欣跳躍的白丑形象的剪紙作品。

一位名叫普萊斯的英國人，創立了在哥本哈根的劇場王國，至今仍然存在。他製作的演出包括排舞、馬術和「貨真價實的英式啞劇」。他與卡索特合作，製作出相信仍是劇團最佳的演出「骷髏骨哈樂昆」。雖然「卡索特」一名已成為蒂沃利花園劇種的代名詞，其他家族如普萊斯、柏杜勒提（Petoletti）、勒溫（Lewin）和許多家族都為該處融合法國、意大利及英國傳統的風格作出貢獻。

從外面傳入的事物一般難以發揚光大，除非得到本土意識的回應。真正的丹麥白丑要等到尼爾斯・亨利・伏克臣（Niels Henrik Volkersen）演繹下才誕生出來。自 1843 年蒂沃利花園開幕，直至五十年後他辭世的期間，伏克臣為白丑注入了率直、貼地而充滿農民小狡猾式的幽默感，並一直改良這角色。他創作了多個圍繞這大受歡迎的角色發生的新啞劇片段，表表者是「渴望愛情的白丑」，以及一大堆風行的民間喜劇和諷刺時弊的劇目。不論主旨與目的，他的劇目形式流傳至今。觀眾喜歡白丑，其他角色則繞著白丑團團轉；又老又吝嗇的卡桑德；卡桑德的漂亮女兒歌倫比妮；戴上半面具的哈樂昆，沒有傳統角色的癦也沒有觸鬚；吹毛求疵的博士；虛張聲勢的軍官，和歌倫比妮的一堆追求者。劇目裡的十五齣啞劇定期更新，變化出奇地豐富。橋段其實基本上不變，所以觀眾印象深刻的只是個別的場景和笑點，這些都可以在不同的啞劇間互換使用。

這些劇中用的是一套特定的動作語言，每個重要角色都有標記他的符號，也有專用的手勢代表物件如梯子、蠟燭、椅子、鑰匙；行動如躲藏、睡覺、喝水和說話。當哈樂昆遇上歌倫比妮，他們會以默劇表達「我愛你，我會和你結婚。」二人先指向對方，再在指向自己，然後雙手覆在心臟位置，最後以右手指向自己的左手無名指結束。正確理解其含意是最重要的，正如在一齣經典戲劇中讀出家傳戶曉人人滾瓜爛熟的長篇演說一般，核心是怎樣重新發現文字的原始含意，然後賦予它真實的起承轉合。古典默劇困難之處，就是藝人要不令表演僵化為毫不真實的形式主義而又可保存它的風格，還要在演繹時加上一些原創元素。

雖然默劇也引入了現代化技術如背景布幕的配重系統和電力台燈，大部分出人意表的台景變換還是像十八世紀般以人手完成。配合劇情的側幕沿舞台的凹槽推入推出，台面揭板讓「魔法師」從地底冒出，也可以放出煙霧和火焰。一棵樹可變作駱駝，再變成一個巨人，一塊大石可變成小艇。台上有一個黑盒子，哈樂昆可隨意躲進去「消失」再「出現」；又有一個大木箱讓白丑藏身，然而他逃不過巨石壓頂的命運，扁扁的像塊煎餅那樣被人拖出來。

獨舞者兼「丹麥皇家芭蕾舞團」（Royal Danish Ballet）芭蕾大師之一拉森於 1956 年成為啞劇劇團的導演。他是啞劇團的完美領導：既是國際知名的默劇人，無論古典或現代默劇都十分精湛。他更熟悉頻繁使用默劇場景的包諾維式芭蕾劇（Bournonville ballet），為丹麥劇場的出色傳承引入另一類連繫。

輕快的夏夜中，世界各地的觀眾來到這所被開滿花朵的栗子樹圍繞著的劇院，共聚一堂，觀賞在原創地已失傳的古老喜劇，笑聲不絕於耳。

關於啞劇

卡羅・布拉西斯 Carlo Blasis

卡羅・布拉西斯是意大利舞者、編舞家、教師和作家，曾任米蘭宮庭學院的總監，著作甚豐。下文取自他其中一本著作《戲劇舞蹈理論》（*The Theory of Theatrical Dancing*）。

要讓觀眾明白你，你必須努力研習，模仿你想表達的物件的形態。如果實在模仿不了，盡力向觀眾清楚地指出該物件的用途等等，讓看你的人毫不含糊地了解你想表達甚麼：你的表達必須精準及明確。我知道許多人不懂這些並非基於情感或本性的人造手勢；假使如此，舞團總監和體現他的創作的舞者們應選演容易理解而且可準確呈現的劇目，使公眾被他們呈現的美所打動的同時，能體會這種我們稱為新語言的「文法」。

這些原則相當合情合理，在意大利不難實踐。意大利人日常已接觸啞劇，演員也使用各種規範化的手勢。

在法國，這就需要一段時間以及深入的研習，才能達到同等的完美水平。法國啞劇藝人只採用了少量的手勢，當中大部分與正確表達相去甚遠。因此，他們的工具已有掣肘，其藝術亦未能達到目的，亦即是向觀眾以圖像模仿展現世上萬事萬物。意大利人天生就會舞手動腳，難怪意大利演員比其他國家的演員優秀，啞劇在意大利是如此完美，可完全表達任何感受得到的事物和情感。不過，這些藝人很大程度上是得益於藝術訓練而來的手勢，這些手勢又大大的擴展他們的表演能力。

如非表達強烈的情感或易於辨別的事物，啞劇本身是不能製造明顯效果的。意大利人選取歷史和虛構故事中最家傳戶曉的事蹟，以令觀眾深深投入。這些偉大的畫面會用鮮活的方式呈現，有時確是超凡入聖。芭蕾舞界對這種系統十分熱衷，因而令舞團的啞劇部舉足輕重，也同時讓觀眾欣賞到不同的表達手法，從而更加享受演出。

感性而富想像力的意大利人喜歡有力的表達方式。相比搞笑或討好的風格，他們更傾向於莊重和喚起同情心的風格。他們願意在劇場中得到娛樂，但更希望被演出感動，所以對芭蕾舞演出產生興趣。我觀察到在意大利，芭蕾舞受繪畫相當的影響，在法國則不然。芭蕾舞藝術本身沒有因繪畫損失甚麼，反之，受益極深。

最近，我的數名法國朋友憑著啞劇成名，而且表情達意的完美程度與我在意大利所見的無異。這也不足為奇，人性絕大部分是共通的。這些表演者唯一的缺憾，是沒有足夠的手勢去完美地表達所有場景，但錯不在他們本身，而是受其藝術形式所限。即使如此，他們描述的感覺是真誠的，他們的五官訴說著故事，整體姿態也優美動人。我留意到最好的啞劇表演者來自外省的劇團；他們更加努力鑽研，能演的劇目也比首都的劇團多。在巴黎，一個劇團大概就十二個劇目輪流演出；在波爾多、馬賽、里昂等地，每一齣獲好評的芭蕾舞劇都有上演；反而在巴黎，只有那些符合金主喜好或拉到關係的劇目才會有演出機會。

假如啞劇的目的是忠實地闡釋我們的感覺，它就必須簡單、清晰而準確，所有不能在動作當下令人明瞭的就是純粹的不完美，舞團總監有責任把它們視為無用的部分。啞劇和舞蹈一樣，有不同的類別。每個人的手勢、外表、身姿，簡單地說所有身體的表達，都不會完全一樣，因著演員的年齡、性格和狀態有所不同。因此演員要十分留意自己特別適合哪類型啞劇。除非演員擁有某些身體質素及啞劇天賦，他縱然嘗試啞劇亦未必能夠成功，無庸置疑，事實就是沒有天賦，我們不可能在任何藝術或科學領域達到完美的境界。然而，與此同時，即使我們天生具備所有條件，但無視藝術的明智規條，也一樣會以失敗告終。經年月累積形成、金科玉律一般的訓練，是達至完美境界所必須的，不，幾乎是不可或缺的過程。

偉大的朗吉諾斯（Longinus）[1] 說：「大自然是引領我們往壯美與崇高的主要渠道，但除非她與藝術攜手同行，她會如蒙眼的人，不知自己步步前行是朝哪裡去。」

演員要演好不同國家的角色，必須研究各國的天賦、性格、儀態和風俗。大自然就是他永遠的模範。他外貌特徵的變化須展示靈魂的種種感知。他尤其需要以眼神強化其手勢想表達的所有感覺。默劇手勢永遠和眼神互相對應，就如人說話時一樣。

啞劇的每一個動作應受背景音樂規範，而音樂也必須參與表達情感。這些元素和諧融合下的效果，就是觀眾的高度愉悅。但默劇人與舞者要注意，不可勉強跟從音樂去證明他們確是在配合；所有元素應該是渾然天成，斧鑿的痕跡要盡量隱藏。伴奏音樂要帶有啞劇動作真正的調子和氛圍。在編作中，舞團總監必須避免一切誇張、沉悶、低俗或無聊的元素，特別是處理嚴肅的題材時。

---

[1] 公元一世紀時的古羅馬人，此句相信是引述自他的名著《論崇高》（*On the Sublime*）。

後記：反默劇

既有嘴巴，何不用它說話，反而要做手勢打符號？

— 詹姆士・阿吉（James Agate）

夫人，您願意看一下一群想取悅您的優秀演員的努力成果嗎？他們以步姿、手勢和動作在您眼前表達世上的一切，他們稱之為默劇。我戰戰兢兢地在您面前提起這個詞語，但宮庭中的某些人會因此責難於我。

— 莫里哀喜劇《出色的情人》
（*Les Amants Magnifiques* by Molière）

讓智慧和典籍自說自話，
無盡的牽掛也放開；
站到演員的身旁，又或，
坐上小丑的椅子。
和默劇藝人歡渡光陰——
把玩他們幼稚的玩意——
除了取樂、歡笑與吵鬧，
現時沒有其他重要事。
讓智慧往昔那高貴的憤怒
盡消散於默劇台上之處。

— 普羅德羅莫斯（Prodromos）

英國默劇的搞笑部分是如此沉悶，比任何在舞台上展示過的演出都要沉悶，只有英國默劇的嚴肅部分那種極致的沉悶才能與之匹敵。那些神祇和女神是難以忍受的單一、磨人，唯有靠哈樂昆丑角出來調劑一下。

— 亨利・菲爾丁（Henry Fielding）

綜論「反默劇」

芭莉・羅夫 Bari Rolfe

每種藝術都會有鄙視它的人，許多時攻擊的對象是個別表演者而非整個藝術形式。

然而，默劇同時在兩方面都遇上批判。古時，普羅德羅莫斯（Prodromos）說：「讓智慧往昔那高貴的憤怒／盡消散於默劇台上之處。」現今，有活地・亞倫（Woody Allen）有意無意的誤解。

世上似乎有兩類反默劇的人：那些一開始便不喜歡及在所有情況下都不喜歡它的人，以及那些既愛且恨它的人。莫里哀算是後者，他不無譏諷地在公主面前努力避開「默劇」這個詞語。另一位是保羅・法蘭（Paul Franck）[1]，雖然他自己是默劇人，也製作過默劇演出，卻稱自己「從不相信過默劇」。畢爾邦把英國默劇誇張惡搞，他諷刺這種表演為英國發明的獨有藝術形式，與世人所知的任何藝術形式一般的吸引——他甚至暗示英國民眾受不起這種「高雅藝術」。在法國，常獲邀觀看德畢侯在芬南布力斯劇場演出默劇的詩人和散文家以詩詞頌揚這種藝術，卻又指演出場景幼稚、不成熟。

下文那些刻薄的評語，對我們這些默劇的死忠來說，只是笑料一宗。

---

[1] 法國導演、劇作家及演員。

默劇演出

麥克斯・畢爾邦 Max Beerbohm

> 麥克斯・畢爾邦爵士（1872–1956）身兼劇評人、散文家、漫畫家和卡通畫家。他機智而又針砭時弊的風格是1890年代美國的寫照。他繼承大文豪蕭伯納（George Bernard Shaw）成為《星期六回顧》（*Saturday Review*）雜誌的劇評專欄作家。

昔日啞劇何其多
今日此齣最頂尖
阿里巴巴四十盜
哥林先生[1]又一峯
然則此劇非我愛
忍痛如實訴君知
即便如此君勿棄
我心非汝，故告辭
願君續享觀演樂
我喜與否不礙事
德魯里巷君必去
您……

這位讀者，我想我寫了這麼多，足夠顯示我是如何恐懼德魯里巷劇場《阿里巴巴》（*Ali Baba*）和亞德斐爾劇場（Adelphi Theatre）《狄克・威亭頓》（*Dick Whittington*）兩劇中那些押韻。我的詩句在韻律上可能比它們更高超一些，但我認為我能夠令文字有序地跌宕，我也達到它們極少能攀上的幽默和常識高度。

[1] 編按：哥林先生（Mr Churton Collins），二十世紀初當紅的啞劇監製。

偉大的默劇人不再篤信他們的藝術

馬克・邦奇 Marc Blanquet

以下收錄自馬克・邦奇所寫的報導。我（譯按：原編者）不知道他是誰，他不活躍於默劇界，估計是個記者吧。

音樂廳高唱入雲，電影稱王，輕歌劇重拾它以往的人氣。這三種表演形式的成功容易理解。現在（譯按：1920 年代）的巴黎有許多外國人不諳法語，因此也未能完全欣賞我們的戲劇、多姿多彩的綜藝節目、輕歌劇、小型歌舞劇（revue）[1] 和電影。何不振興默劇這種國際性的劇場形式？

多得我市那些大方的訪客，人人都能理解的德畢侯藝術，終於可以達到最近人人都在談論，數年前法蘭先生在奧林匹亞音樂廳也嘗試過的復興。

喬治・華格（Georges Wague）先生說：「我一點也不相信現代默劇日漸興旺。」這位出色的默劇人這樣說：「電影不就是一個新的默劇形態嗎？它到處戰無不勝，不少劇作家都在眼紅某些流行電影（boulevard cinema）的發展勢頭。然而，我甚至說「因此」，我很難相信啞劇有重生的可能。電影的場景千變萬化，舞台根本難以抗衡。我告訴你，我覺得遺憾。」

法蘭先生本身就是出色的默劇人，現任卡布遷大道上一所音樂廳的總監，他告訴我們：「不，我不認為（啞劇會復興）。我也不怕加上以下這句：我從沒有想過會發生。」

---

[1] 1920 年代流行的一種表演，由歌唱、舞蹈、笑話和短劇組成。

「???」

「你覺得驚奇？我向你保證我對啞劇從來沒有信心。我嘗試過去相信它，但從沒有成功。不，啞劇是不完備的，沒有人再受得了它。我努力地推廣薩佛林，最終只得接受現實。它已完蛋了——完蛋很久了——不要再談論它了。」

不要再談論它！加斯柏，你會如何回應？你呢，查爾斯・德畢侯？

請高聲一點

活地・亞倫 Woody Allen

活地・亞倫（1935–）寫過電視喜劇、電影劇本和刊登在全國雜誌的文章。他是多套電影的導演和演員，並且獲獎無數。

你要知道，你是在跟一個在科尼島的過山車上一口氣看完長篇小說《芬尼根的守靈夜》（*Finnegan's Wake*）[1] 的人打交道。我輕而易舉地投入喬伊斯式（Joycean）的神秘境界，儘管過山車晃動猛烈得能把大牙上補的銀塊都拋出來。你也要知道，我是世上那寥寥數人，一眼看到現代藝術博物館裡面那輛撞到變形的標域牌名車，馬上能領會其微妙的顏色變化與層次感的互動。那種微妙，假若奧迪隆・雷東（Odilon Redon）肯放棄纖細的粉彩，改用一部壓扁汽車機械來創作，就是那種效果。還有，小伙子們，我也是指導許多迷惑觀眾正確理解《等待果陀》（*Waiting for Godot*）的明燈——他們在中場休息時在劇院大堂裡慢吞吞地兜著圈，為掏錢給黃牛黨來看這連一首流行曲、一個穿得閃亮閃亮的妞兒都沒有的演出而煩悶著呢。我得說，我對各類藝術都掌握得不錯。除此之外，八家電台同時在市政府的直播令我聽得如痴如醉。我現在下班後，仍然不時在哈林區的地窖用我的飛歌牌收音機收聽晚間天氣報告和新聞。有一次，一個從沒有上學、言簡意賅的農場工人傑斯在節目結束時，極富感情地報導道瓊斯指數，真是感動得要命。最後，為充分證明我的水平，請注意我是各種活動和地下電影首映禮的常客，經常有文章刊登在雜誌《景色與溪流》（*Sight and Stream*）[2]，這是本需要用腦看的季刊，專門探討前衛電影

---

[1] 編按：*Finnegans Wake* 為詹姆士・喬伊斯（James Joyce）寫於 1939 年的長篇小說，取名自 1864 年面世的同名民謠 *Finnegan's Wake*。

[2] 編按：此處應指英文電影雜誌 *Sight and Sound*。參見：https://www.bfi.org.uk/sight-and-sound

觀念和淡水釣魚術。如果這些還不足以證明我是「善感的文青」，好吧，兄弟，我認輸。不過，儘管有這麼多真知灼見像比利時格子餅上的楓糖漿從我身上纍纍滴下，最近我還是意識到自己有個文化上的死穴，它沿著我的督脈直上，去到我後頸的要害。

去年一月某天，我正在百老匯的麥基尼酒吧，一面豪啖那塊世界最豐厚的芝士蛋糕，一面內疚地「聽到」自己的大動脈被膽固醇塞成一個曲棍球。我身旁是位火辣得要命的金髮女郎，她穿著一件黑色薄吊帶上衣，下面的肉體高低有致，足以令少男變作野獸。在這十五分鐘間，我雖然有過幾次突破鴻溝的努力，但仍然只和她停留在「請把調味料傳給我」那種關係。她確實把調味料傳了過來，我唯有拿起勺子，舀一點放到我的芝士蛋糕上，以證明我真是有需要作此請求的。

我最後發動攻勢：「我聽說雞蛋的期貨價格上升了。」扮作那些以收購合併大企業作副業的人一般的輕鬆自在。我不知道的是，她那在碼頭卸貨的健壯男友已經進酒吧了，時間真是和萊路與哈地(Laurel and Hardy)的喜劇一般精準。他站在我正後方。當時我正邊賣弄心理學家理察・克拉夫特－埃賓(Richard von Krafft-Ebing)的理論，邊露出一副有待滿足的飢渴表情，一瞬間，我就失去知覺。接著我記得的，就是在街上狂奔，要逃離有如西西里人掄起大棍、要維護女性清譽般的震怒。我躲進一所涼快而黑暗的循環短片影院，看到賓尼兔和三個利比亞人的精彩演出，我緊繃的神經才回復正常。主題影片開播：原來是新畿內亞灌木叢的遊記——我能專注在這個題材的時間，相信和「苔蘚之形成」與「企鵝生活實錄」不相伯仲。旁白嘮嘮叨叨地說：「土著的生活方式和數百萬年前的人類沒有甚麼分別，捕獵野豬(野豬的生活水平也不見得有改進過)，晚上圍坐在火堆旁，舞手動腳地用啞劇重現白天狩獵的情景。」啞劇。如此清晰的衝擊。這東西是我文化修養上的死穴，自小就有的、唯一的死穴。

童年的我，看著由尼古拉・果戈里（Nikolai Gogol）的《外套》（*The Overcoat*）編成的啞劇，暈頭轉向，唯有告訴自己這是十四個俄國人在跳健身操。一直以來，啞劇對我就是個謎，總是令我尷尬，讓我要刻意從記憶中抹去的東西。現在這種失敗感又來了，和以前一樣糟。我不能理解那位新畿內亞土著首領的瘋狂手舞足蹈，不會多於我理解為何大量觀眾會對馬素的小品毫無保留的吹捧。當那名叢林中的業餘演員無聲地吸引著其原始族人，並受到族中長老的犒賞時，我不安地在座位中扭動，然後情緒低落的我悄悄溜出電影院。

當晚我回到家中，深深反思自己的缺點。雖然我在其他藝術領域上得心應手，但殘酷的現實就是只要讓我看一晚默劇，我就會成為愛德溫・馬克漢姆（Edwin Markham）詩中的「持鋤的人」[3]，木然、目瞪口呆、和套上犁頭的公牛沒甚麼分別。我開始無力地發飆，但是大腿後方抽緊，我不得不坐下來。我推敲著，無論如何，這不是最根本的溝通方式嗎？為何這種世界通行的藝術形式人人都明白，但我就不能？我又再無力地發飆，今次終於爆發出來。然而，我住在一個寧靜的小區，數分鐘後，兩名代表這十九世紀老區的老粗來到我家門前，告知我無力地發飆的後果是罰款五百美元、坐牢六個月，或兩者兼得。我感謝他們的通知，立即上床睡覺。我企圖用昏睡擊退自己如斯巨大的缺憾，換來八小時比弒君的馬克白更淒慘的通宵焦慮。

只不過是幾個星期的光景，我又可怖地示範了另一次我對默劇是如何不濟。多得我兩星期前在電台遊戲節目中憑歌聲猜中了歌手梅馬・揚奇（Mama Yancey）的名字，兩張劇院贈票來到我家。那個遊戲的獎品是一輛賓利汽車！我興奮得從浴缸跳出來，匆匆撥電話給節

---

[3] 〈持鋤的人〉（The Man with the Hoe）是美國詩人馬克漢姆受尚・法蘭索瓦・米勒（Jean-François Millet）的畫作啟發而寫的一首詩（於1898年面世），內容描述資本家的壓迫令工人生生世世都失去人的喜怒哀樂，變得木然、疲憊。

目主持，就在一手濕漉漉地抓聽筒、一手把收音機音量調低的剎那，我反彈上天花板，方圓幾里內的電燈都失色了一瞬——就像黑幫大哥立奇坐上電椅的一剎那。我再循反彈力繞了水晶吊燈一圈，一頭撞上路易十五款式書桌邊開啟著的抽屜，嘴巴塞了個法式裝飾。我臉上弄了個花紋精美的符號，有如一塊曲奇壓了個洛可可紋章餅印，頭上多了個鵝蛋大的疙瘩，行動難免慢了些，就這樣，被史力・馬素斯基（Sleet Mazursky）太太搶先答中了問題，我痛失賓利汽車，唯有接受兩張外百老匯劇場贈票。當晚的節目竟然是一位國際知名的默劇人，我的心情跌到谷底，冷如北極，但我還是決定去看。我無法在六個星期的時間中邀到女伴，於是我把多出的贈票送給懶洋洋的抹窗工人拉斯，他的感性程度大概和柏林圍牆差不多吧。起初，他以為橙色的門票是食物，但當我解釋那是默劇的門票——相信除了一場大火之外，這是他唯一有機會理解有觀眾的事情，他不住口地多謝我。

演出當晚，我們二人一個身穿體面的斗蓬，一個拿著水桶，自信地離開計程車，踏進劇院，傲然步向我們的座位。我略帶緊張地研讀場刊，得悉開場的小劇目叫《野餐》（*Going to a Picnic*）。一名纖弱的男子塗上白面，穿著黑色緊身褲，步上舞台。緊身褲是郊遊常穿的服裝，我去年在中央公園野餐時也是穿這個，除了幾個不良少年覺得是個替我「整容」的訊號外，沒有甚麼人留意它。默劇人現在鋪上野餐布，我的混亂又來了，他好像在展開那野餐布，又像是在為一隻小母羊擠奶。跟著他用了好久繁複地脫下鞋子，但我又不能肯定那是他的鞋子，因為他用其中一隻來喝水，把另一隻寄去匹茲堡市。我說「匹茲堡市」，其實這概念挺難以默劇來表達。回想起來，他完全不是用默劇表達「匹茲堡市」，而是一個人駕著高球車穿過一道旋轉門，又或者是兩個人在拆一部印刷機，至於這些與野餐有甚麼關係，我實在不知。那默劇人又開始整理一堆無形的長方形盒子。它們似乎很重，好像全套《大英百科全書》。我猜想他在把它們從野餐籃子搬出來，雖則他捧著它們的樣子，但是說它們是布達佩斯弦樂四重奏的樂手被五花大綁再塞住口也不為過。

此時，我又像平時一般，企圖以高聲猜度默劇人的動作來釐清細節：「枕頭……大枕頭？背墊？看起來好像背墊……」我身旁的觀眾嚇了一跳。我的善意舉動經常令靜默劇場的愛好者煩躁，我在類似的情況下留意到，鄰座的人會用各種方式表達他們的不自在，由大聲清喉嚨到一個如來神掌打到我後腦上都有，打我那次還是文哈塞主婦戲劇派對的一員。今次呢，一位外表像極《睡谷傳說》（*The Legend of Sleepy Hollow*）男主角伊卡布・克萊恩（Ichabod Crane）的寡居貴婦，用她的有柄眼鏡甩馬鞭般敲我的指節，狠狠警告我說：「靜些，小伙子。」然後，她覺得和我說得上話了，她滿有耐性、緩慢地逐字向我解釋，好像跟一個被手榴彈嚇壞了的步兵說話般小心謹慎，說默劇人正用幽默的方式應付野餐人士通常會遇上的麻煩——螞蟻、下雨，以及一貫會引起觀眾哄笑的橋段：忘記帶開瓶器。我得到這暫時的啟蒙後，我因著這個人沒帶開瓶器而焦頭爛額的主題笑得前仰後合，也對這麼一個主題可以有無盡可能性而驚嘆不已。

最後，默劇人開始吹玻璃。是吹玻璃吧，也可以是西北大學的學生紋身。看起來好像是西北大學的學生，也可能是大學的男聲合唱團，或者一台熱療儀器，又或者一種體形巨大、以草食為主但經常雜食，並已經滅絕的四足動物，其軀體化石遠至北極圈都曾被發現。此時觀眾正為台上的一團亂象笑得不可開交，連蠢鈍的拉斯也用抹窗刷抹去臉上開心的眼淚。但我沒有感覺，我愈是努力去理解，愈是明白得少。失敗的倦怠悄然降臨，我脫下便服鞋，決定今天到此為止。當我回復意識時，聽到的是劇院樓座幹活的幾個清潔女工爭論滑囊炎的利弊。我在劇院裡暗淡的工作燈光下定了定神，拉正領帶，然後出門去了萊克酒吧，那裡的漢堡包和麥芽巧克力不需要我理解甚麼，那天晚上是我首次能放下內疚的包袱。時至今日，我還是有文化缺憾，不過我仍然在努力補足。如果你哪天看到一位審美家瞇著眼睛，扭著身子，喃喃自語地看默劇，過來打個招呼吧——可是要在演出早段來：我不喜歡在睡著時被人打擾。

附錄一：意大利即興喜劇的常見角色（按中文筆畫序）

譯名	原文 *	角色特徵
切佛連	Trivelin	蠢僕
布里蓋拉	Brighella	奸滑的僕人
卡桑德	Cassandre / Kassander	總被周圍的人所欺騙的老頭子
史加拉慕殊	Scaramouche	愛吹噓，常惹上麻煩的僕人
吉爾	Gilles	蠢僕
哈樂昆	Harlequin / Arlecchino	有點心眼、常常吃不飽的僕人，歌倫比妮的愛人
軍官	Il Capitano	軍官
博士	Il Dottore	博士
普爾欽奈拉	Pulcinella	言過其實的懶惰鬼
雷安卓	Léandre	戀人角色之一
歌倫比妮	Colombina / Colombine	聰明伶俐的侍女，哈樂昆的愛人
潘大龍	Pantaloon / Pantalone	貪得無厭、狡詐的威尼斯商人
薩尼	Zanni	泛指頭腦簡單的傻僕人

* 不同時期／地區或有不同拼法。

第二部分

香港形體劇發展多面睇

作者：一本・小雪

啞劇、默劇、形體劇場

在追尋過去四十年香港形體劇的足跡前，讓我介紹一下三個與「形體」密不可分的表演藝術類別：啞劇、默劇、形體劇場。

啞劇相信已有超過二千年歷史，西方文明中最早留傳的紀錄可追溯至古希臘及古羅馬時期。啞劇「透過動作姿勢對外在事物的模仿，它直接讓我們感受或意識到它所要指稱的對象」（耿一偉，2007）。古羅馬時期的啞劇由一位主要演員（男性）戴上面具演出神話故事，按劇情發展換上不同面具代表不同的角色。這位主角演員本身不發一言，但表演中或會有其他男女演員陪襯，亦可以加入樂隊、歌者或旁述員。啞劇演員（pantomimo）也被稱為舞者（dancer）（Hall，2008）。

啞劇經過了千多年的起伏跌宕，中間吸收了意大利即興喜劇的角色，又經歷了法國皇室禁制其表演使用台詞（故此變得「沉默」），終於在十九世紀，法國大師德畢侯創造的白丑形象大放異彩，也令世人從此把啞劇和法國文化連在一起，但其實啞劇亦已在歐洲各國各自落地生根。例如英國便發展出英式的童話鬧劇，北歐、東歐也有其獨特的啞劇傳統。

然而，世界聞名的默劇大師馬素的作品，特別是他早期及中期的劇目，有許多的啞劇元素，加上中譯「啞劇」、「默劇」兩詞的字義，造成了不少既定印象，認為啞劇必然是靜默無聲，甚至必定是塗上白面、離不開摸牆拉繩等幻象默劇（illusionary mime）。這只可以說是啞劇最多人認識的面貌，並非它的全貌。

正如古代的啞劇可以伴隨誦讀、音樂、歌唱，藝人也會按其演繹發出聲音；意大利即興喜劇會運用音節，無意義的說話，或簡短的口語。這在現代默劇中運用得更為自由：人的聲帶當然也是身體的一部分，只是語言不成為觀眾接收的主體。

＊ ＊ ＊ ＊ ＊

默劇（mime）又是甚麼呢？「默劇」一詞，一般有兩種用法：其一是概括地使用於描述主要依靠形體的表演形式（如前述的啞劇，或現代默劇）；另一種是有其獨特的字義，把它涵蓋的概念與啞劇劃分開來。

德庫，這位被稱為「現代默劇之父」和「默劇的文法家」的巨匠，他的默劇中，軀幹和肢體的每一個角度、每一個動作，都是與世界斡旋的過程。讓我們看看德庫如何闡釋動作與人性（humanity）的連繫：

> 「我們不是要人成為天使，我們想他成為英雄，即一個像所有人，但做不平凡事的人。他跳起，縱使有地心吸力定律的存在。他做的事都是在『縱使有……』（的限制下仍然去做）。」

從這段說話，可以看到他的默劇觀是用形體本身，而非以形體作模仿來呈現人性，讓默劇突破「無言地說故事」的啞劇框架，「透過整個身體的存在感表達內在的感覺」。

另一位默劇大師樂寇[1]在討論默劇時，亦提出「模仿」並不只限於對有表相的事物或聲音上的模仿（mimicry），而可以是「含

---

[1] 默劇泰斗樂寇的分享，收錄於《形體大師的心得：默劇藝術文滙（上）》中〈默劇、形體、劇場〉一文。

意的模仿」(mimicry of meaning)，這種超脫外相的模仿就是默劇(miming)。他引述動作人類學家馬塞爾·儒絲(Marcel Jousse)：

「默劇與單純模仿的分別在此：它並不是仿效(imitation)，而是掌握由身體呈現出真實的一種方法。」(Lecoq，2006)

耿一偉在《動作的文藝復興：現代默劇小史》(2007)如此說：

「默劇可以涵蓋啞劇，默劇與啞劇的差別，在於默劇背後有一個默劇意識存在。它將動作視為表演或訓練的基本原則，而非單純模仿或心理揣摩的派生。」

他沒有詳細描述「默劇意識」，但德庫和樂寇的看法可讓我們對「默劇意識」有所理解。

＊ ＊ ＊ ＊ ＊

形體劇場(physical theatre)則是一個更近代才出現的名詞。*Physical Theatres: A Critical Introduction* 一書中，指出「形體劇場」一詞，最早可追溯至1968年，1970年代仍然甚少有人使用，其冒起主要是在1980年代中期(Murray & Keefe，2007)。這詞的定義一直有點含糊不清，它不僅是強調形體動作作為舞台上的表達方式，還涵蓋了與傳統劇場不一樣的理念，重點有五方面：參與作品創作而非單純演繹的演員；群體的工作方式；形體為本的訓練與技巧；演員與觀眾之間的互動關係；及有系統地利用即興技巧達致直接、活潑而富遊戲感的氛圍(Moschochoriti，2009)。

「形體劇場」到底是甚麼，之所以眾說紛紜，其中一個原因是它是對傳統劇場的一種反思和革新。這種反思源於歐洲多處：其一是由現代默劇的復興(德庫、樂寇、馬素)到編作劇場(devising theatre)的發展；另一股泉源是「第三劇場」（The Third Theater）運動（耶日・葛羅托夫斯基［Jerzy Grotowski］，尤金諾・芭芭［Eugenio Barba］及其創立之「歐丁劇場」［Odin Teatret］）；第三個源流是翩娜・包殊（Pina Bausch）等對舞蹈劇場（dance theatre）的探索（吳紹熙，2016）。

形體劇場因而與舞蹈和現代默劇有著深刻的互通，也受到傳統戲曲、東方劇場、小丑、意大利即興喜劇等影響。形體演員也不被限於一種表演藝術形式：「（形體劇場）並非屬於任何一種戲劇『類型』，但從事形體戲劇者，必需接受身體表演的訓練，讓他有意識地在舞台上運用他的身體進行表演，而且這種意識，將會在訓練開始往後，和他的身體進行一生一世的結合。」（梵谷，2019）

＊　＊　＊　＊　＊

關於啞劇、默劇和形體劇場定義的討論還有很多，以上只是一些簡單（可能過於簡單）的描述，僅供讀者參考。

戰前至八十年代的香港形體表演

> 「傳統老爺穿黑色馬褂和褪色袍子，戴著禮帽和石墨眼鏡，留著鬍子，腳穿布鞋，走路用八字步，而洋場少爺則穿畢挺的西裝、皮鞋、分髮。當賣書小販問二人到底甚麼書合他們的喜好，二人則開始演一套『雙簧』……這段通過形體動作和舞台排位，表現出二人代表兩代的年齡層，本來各有不同，卻在思想方面同樣守舊。老爺將禮帽取下戴到少爺頭上，象徵舊思想尚在傳遞，未有隔斷；最後二人在舉手投足之間和諧得儼如一人，做出照鏡、剔牙、吸煙、喝酒等舉動，動作上完全一致，從而帶出少爺並沒有走上跟老爺不同的人生道路，守舊的思想仍在青年間傳播。」（丘庭傑，2019）

以上可能是香港華人第一次看到的西方式啞劇公演的部分描述。這是名作家蕭紅在1940年為紀念魯迅先生誕辰六十周年而創作的啞劇《民族魂魯迅》。

蕭紅與端木蕻良在1940年初來港，當蕭紅獲邀創作此劇本時，「端木先生想起他在南開上學時看過外國啞劇大師的表演，因此建議用啞劇的形式來寫」（丘庭傑，2019）。此劇於1940年8月3日在香港孔聖堂演出一場，演出的是經過導演修改的版本。《民族魂魯迅》啞劇劇本共四幕，是極少數完整無缺的中文啞劇文字紀錄。能保留如此詳細的紀錄，部分原因是它在1940年10月21至31日，分十次刊於《大公報・文藝》952-955、957-959期、《大公報・文藝》學生界236-238期，全文可在香港中文大學圖書館香港文學資料庫網站搜尋閱讀。

據丘庭傑（同上）所述，二十世紀初的中國現代戲劇極少見到啞劇的蹤影，有紀錄的兩齣都是在內地上演。

形體表演究竟何時在香港開始？固然傳統戲曲中充滿啞劇元素（見本書程修齡博士文〈象徵性動作〉）戲曲劇目裡也有著名的純動作場景（如京劇《三岔口》），但在戰前的香港華人社會，觀看默片（如卓別靈的作品）可能是認識西方形體表演的一個主要途徑。

香港華人社會以外的戲劇又有多少形體元素呢？根據邁克・安甘（Mike Ingham）博士的研究（2005），香港早期的英語劇壇主要是為娛樂英軍圈子而生。英式啞劇輕鬆明快，加上駐港英軍在文化上對其相當熟悉，因而成為英語劇團廣泛採用的表演模式。安甘也指出當時的香港英語劇壇，著重參與的社會功能多於作品的藝術水平，啞劇搭配懷舊的「音樂廳」（包含歌唱、舞蹈、喜劇小品和肥皂劇的表演項目）成為每年演出必備，直至 1992 年為止。

宗教也是香港人接觸啞劇演出的渠道之一。根據六十年代的報導，天主教會在每年復活節前的四旬期，有安排公演「苦難默劇」（Passion Play）的傳統，著名舞台導演麥秋也曾執導苦難默劇（中國學生周報，1968）。某些基督教教會也會採用街頭或舞台啞劇來傳道，直至現在仍然活躍（香港學園傳道會，2021）。

1980 年之前的香港形體表演的資料不多，還期待有心人再深入研究探討。

首個在香港藝術節出現的默劇節目應是 1976 年的「瑞士默劇團」（Mummenschanz）[1] 演出（香港藝術節協會，2021）。1980 年的香港藝術節帶來了英國默劇名家羅娜麗（Nola Rae），其後十年，藝術節引入眾多世界聞名的劇團和藝術家：

1　三位瑞士默劇團創辦人的分享，收錄於《形體大師的心得：默劇藝術文滙（上）》中〈面具、默劇和瑞士默劇團〉一文。

默劇劇團／藝術家	演出年份
小丑卜百奇（Bob Berky）	1981
英國默劇團（Moving Picture Mime Show）	1982
樂寇	1983
小丑迪文齊（Dimitri Jakob Müller）[2]	1983
威狄斯（Radeis）	1983
悄語劇場（Theatre Whispers）	1983
瑞士默劇團	1984
支架默劇團（Trestle Theatre Company）	1985、1988
羅娜麗與約翰・莫華特（Nola Rae and John Mowat）	1987
合拍劇團（Théâtre de Complicité）[3]	1990、1992

藝術節以外，還有市政局、區域市政局、康樂及文化事務署（康文署）和「法國五月」等引入的默劇演出，例如亞當・達瑞斯和卡濟米爾・高茱斯力（Adam Darius and Kazimir Kolesnik，1982）、箱島安（1983）、小丑梅卡連（Mike Mulkerrin，1984）和「阿米奧爾默劇團」（Amiel，1989）的精彩表演。當然，香港觀眾絕對忘不了馬素在1983至2003年間來港的六次演出（政府新聞處，2003）。

[2] 迪文齊（或譯狄米茲）的分享，收錄於《形體大師的心得：默劇藝術文滙（上）》中〈小丑狄米茲〉一文。

[3] 編按：現改名為Complicité。

四十年來形體劇在香港的發展初探

八十年代中期，從外地邀請來的形體表演更為多元化，除演出劇目外，更開辦關於形體、編作、面具等工作坊。現代默劇對當時的年輕劇場愛好者來說，不僅是話劇或舞蹈以外的一個新形式選擇，它包含的形體劇場理念，例如演員參與編作、遊戲元素、與觀眾互動等，和它對場地要求的高彈性，都在他們腦海中激起無盡的創新浪花。

林立三博士在七十年代於加拿大溫尼伯大學（University of Winnipeg）戲劇學院取得學士及碩士學位（主修表演）。在修讀學士及碩士課程期間，他是首批於波蘭接受形體訓練之學生，研究內在與外在關係如何互相影響之戲劇理論。他在八十年代初獲鍾景輝邀請到香港演藝學院任教，把外國所研習的整套有系統的表演藝術訓練帶到香港，當中包括表演、聲線運用、形體動作、默劇表演等等。他也是在香港首套默劇表演的專業默劇表演者。然而默劇只是他的才華的一小部分，他在香港劇壇舉足輕重，作育英才無數，獲美國瑪莉蘭魯茲威戲劇研究學院（Rochville University）頒贈戲劇一級榮譽博士銜。

八十年代也是形體表演在香港的萌芽期，啟發了多位香港藝術家遠赴英、美、法學習默劇，他們學成歸來後的作品百花齊放、琳瑯滿目；另一批則在地探求與香港生活和文化結合的可能性；本地的默劇團也如雨後春筍般冒起，如「Three Men and a Mime」、「Impromime」、「三人默劇團」「藝穗默劇實驗室」、「孖寶默劇」「默片時代」、「默寄默劇團」、「香港聾劇團」、「黑犬劇團」、「無言天地」等。以個人演出積極探索默劇的有林延康、莫昭如、許志成等（霍達昭，2003）。一向以演出傳統話劇為主的劇團如「海豹劇團」亦作默劇的嘗試。

藝穗會於形體表演在香港的發展有著重要的角色。通過藝穗節及各式各樣的外展文化活動，為香港的默劇人和小丑提供大量演出經驗和機會，更推動了藝穗默劇實驗室的成立。藝穗會與不同藝團和藝術家合作，製作了多個長篇形體劇如《浮生六記》、《沉金冤》、《遠大前程》等。（1985 至 2020 年間藝穗會演出／主辦的形體劇列於附錄二）

藝穗默劇實驗室成為了藝穗會的駐場劇團，在師從狄士文・鍾士（Desmond Jones）的霍達昭領導下，自 1987 年起不停製作實驗演出，多次與英國和南韓的導演合作，並在深圳、台北、首爾、澳門等地獻藝，培育了不少默劇人才。1992 年，霍達昭移民外地，同樣是鍾士學生的李然貴接任藝穗默劇實驗室主席。2022 年是藝穗默劇實驗室成立 35 周年，是香港歷史最悠久的默劇團。

九十年代初，跟隨大衛・格拉斯（David Glass）、菲利普・戈利耶（Philippe Gaulier）和蒙妮卡・帕略（Monika Pagneux）的詹瑞文、在巴黎新索邦大學（Université Sorbonne Nouvelle）攻讀戲劇研究的鄧樹榮和隨馬素學藝三年的鄧偉傑陸續回到香港發展，詹瑞文和甄詠蓓在 1993 年創立了「劇場組合」（後改名「PIP 文化產業」），集中於編作劇場和形體劇場；同年，鄧偉傑成立「同流工作坊」（後改名「同流」）。鄧偉傑及鄧樹榮先後到香港演藝學院任教，後者在 2009 年成為香港演藝學院戲劇學院院長。

鄧樹榮於 1996 年創立「無人地帶」，2011 年改名「鄧樹榮戲劇工作室」，定位為戲劇研創及教育中心，其作品《泰特斯 2.0》、《打轉教室》等曾應邀參加世界各地藝術節並獲多個獎項。2014 年他創立專業形體戲劇青年訓練課程（Physical Theatre Institute），兩年兼讀制的課程發展至今，包括基本形體、戲劇訓練；瑜珈及文本分析技巧；中國書法；詠春拳；東瀛形體藝術；即興與小丑表演，透過身體和感官之間的交流，為有志投身表演事業的青年提供更全面及深入的形體戲劇藝術培訓。

進入千禧年代，在英國完成東西方戲劇碩士及在新加坡進修的吳偉碩（梵谷）成立「香港表演研究中心」，把研究結果轉化作其身心表演訓練「心體一技」的教育內容。在倫敦研習德庫與樂寇體系的吳紹熙，在香港導演、演出形體劇外，多年來曾在十多個歐、亞國家提供形體劇場訓練。香港演藝學院表演系畢業的趙堅堂，矢志把默劇帶回舞台，創作了多個建基於深入訪談的長篇社會默劇；而導演系畢業的陳恆輝，成立以編作和教育為主的「愛麗絲劇場實驗室」，將形體融入他對文本、聲音和畫面的探索中。

黄國忠成立的默寄默劇團在 2009 年主辦了「香港默劇節」，共邀請了十四位本地默劇人在賽馬會創意藝術中心黑盒劇場表演自由選題的短篇劇目，同時又舉辦了「亞洲默劇連線」，帶來台灣的「上 默劇」（孫麗翠）以及日本的小島屋万助和羽鳥尚代。可惜當中牽涉的心力和財力太大，未能續辦，至今仍是香港唯一的一次大型默劇節。

康文署舉辦的演出也包括了本地與外地默劇團合作的元素，2000 年香港聾劇團便與「三藩市默劇團」（San Francisco Mime Troupe）[1] 聯合演出《財迷心竅十五貫》。

李志文的「格詠藍調」在2015年開始主辦另一個小型及形式自由的「空式默劇節」，每年舉行一至兩次，至今已辦了十屆。蘇春就一方面是極受歡迎的街頭表演者，同時也是定期在空式默劇節獻藝的一員。

---

[1] 三藩市默劇團創辦人 R・G・戴維斯（R. G. Davis）的分享，收錄於《形體大師的心得：默劇藝術文滙（上）》中〈默劇中的技法〉一文。

陳俊雄在 2002 年成立「無聲模式」，積極推廣默劇教育。另一位在藝穗默劇實驗室成長的新晉默劇人崔家樂，和黃定邦、鄭展晴創作的默劇《全日禁區》，在2017年「塞爾維亞國際獨腳戲及默劇節」榮獲「最佳默劇金獎」。

時至今日，形體差不多已經是香港演員訓練必備的元素，即使是傳統話劇，對形體運用的要求亦提高了許多。但有關形體表演在香港發展的紀錄，卻是不成比例的稀少：只有極少數的本地現場表演錄影會完整無缺地留存在公開資料庫中（由於攝影角度和平面呈現等影響，觀眾能感受到的能量也大打折扣）；文字方面，只有默寄默劇團網上的《Spread Mime 記默》、無聲模式的網頁和偶然散見於個別網誌、雜誌的文章，提供默劇流派和歷史的中文資料；而劇本可謂絕無僅有，主要原因可能是形體表演大部分都是導演跟全體演員的編作，除非有心刊印，一般都不會整理出版。

四十年轉瞬過去，香港形體表演猶如盛夏的花園，有綠葉成蔭的大樹，有漫山生長的雛菊，有隨風飄揚散播種子的蒲公英，有這處那處簇簇盛開的鈴蘭、百合，和造出風景也滋養著土壤的落葉灌木。以下十六位在不同年代出發的形體表演藝術家，將分為四個篇章，以十六個不同的角度，為我們描繪這個豐盛的花園。

鄭碧儀與同學在巴黎賈克・樂寇國際戲劇學校即興演出（1985），
照片鳴謝：鄭碧儀

求道篇

鄭碧儀：堂前聽雨話當年

鄭碧儀，相信是在巴黎的賈克・樂寇國際戲劇學校（École Internationale de Théâtre Jacques Lecoq）兩年課程畢業的首名香港人（1983-1985）。現在肄業於歐美各大默劇學校的香港人算起來也不少，在外進修雖然仍有相當的財政負擔，有意找進修資料，互聯網上也應有盡有。但三十多年前，一個不諳法文的嬌小女子，孤身跑到巴黎去，從抵校一個學期後收到校長的退學建議，到成功在樂寇戲劇學校找到藝術生命的方向，畢業回港發展默劇，確實是極不平凡的故事。

鄭碧儀在香港中文大學主修英文，副修藝術，畢業後進入政府當行政主任。然後，她為了一個夢想，辭職到法國去。

樂寇戲劇學校創立於 1956 年，鄭碧儀入學時，它已是國際上數一數二的以形體訓練為主的學校。其規矩是開學三個月後會篩走三分之一的學生，一年後再篩走餘下學生的一半；最後，只有三分一人可以完成課程畢業。

「當時的同學來自世界各地，歐美的自不待言，有墨西哥的、有非洲的。至於亞裔學生，在我之前只有一位日本畢業生，還有一位內地來的，據說沒有完成課程。當時，不少同學都是手頭拮据，邊上課邊作街頭演出來維持生活，看看能不能找到下學期的學費和『水腳』。」

「我花了很長時間來適應。」鄭碧儀說。那一年冬天，巴黎的氣溫出奇的冷，她住的房間沒有暖氣，晚上睡不安寧，每每一踏入有暖氣的地下鐵便不期然站著打瞌睡，直至搬到女子宿舍才有所改善。學校對體能有相當要求，每天三十分鐘的熱身運動是站著單腳踢十來分鐘才換腳，之後幾小時是交替練習雜耍、打跟斗、前後空翻等體操動作，然後就是演技探索和即興演出等。這些，她尚且能夠應付。

過了三個月，校長找她談話，說她不適合這所學校。「那時我亦正在盤算要不要退學，但那一刻，我才不要人家叫我走就走！於是我鼓起勇氣去遊說每一位教過我的老師，直接問他們我的問題在哪裡。一位老師說：『你呀！是「Bugs Bunny」[1]！光看不投入！』」

「語言隔閡是其中一個障礙，但主要是我性格害羞，也不習慣課後和同學去喝酒聊天。」鄭碧儀企圖說服一個又一個老師讓她留下的過程，燃起她前所未有的鬥志。暑假回港，她更趁機惡補法文。「樂寇是以體操和復康起家，他的訓練理念強調人要自己付出努力，克服自己的問題，病人如是，學生也如是。」

起步雖不太順利，她的能量和天分卻在課程中一次又一次爆發。每個星期五都是學校的「公演日」，同學在星期初分組，每星期的組合都不許重複。大家互動構思劇情，排練一星期，到星期五在全校，甚至外來的觀眾面前獻演。不過，鄭碧儀覺得最精彩的卻是演出後，即時聽取觀眾的批評。

樂寇課程中使用的中性面具（neutral mask），釋放了鄭碧儀的潛能。「戴上面具令我感覺從容，其實我當時根本聽不懂樂寇的話，但他卻稱讚我完全做到他的要求。」

她又慢慢發現，自己裡面有一個天生的小丑（natural clown）——「那次即興演出的是小丑家族，我和一群英國同學被編成一組，他們

---

[1] 著名的美國卡通角色，一隻只愛冷眼旁觀的兔子。

演的是同一家庭成員，各自選演自己喜歡的小丑類型，我就演他們的小丑管家。我當時認定管家沒甚麼戲可發揮，就呆站在台後，看台前的小丑孩子嬉戲和逗觀眾，可惜觀眾不受，節奏愈發沉悶，此時詩歌小丑（poetic clown）欲挽狂瀾，幽幽朗讀威廉・華茲華斯（William Wordsworth）的《水仙》（*The Daffodils*）！

救命，還要拖下去！我再憋不住了，甚麼也不管便衝上台前，大聲朗誦：

> Godfrey Gordon Gustavus Gore—
> No double you have heard the name before—
> Was a boy who never would shut a door![2]

噓！痛快耶！台下爆笑，全場絕倒！」

她畢業後回港結婚。1986 年，她與霍達昭合演鍾士導演的《天地玄黃》，其後他們拍檔在香港和澳門多次演出小丑，不久後，她懷了第一個孩子，打斷了演出計劃。1987 年，第二個孩子出生，鄭碧儀減少演出，只不時在香港大學校外課程教授默劇，並在各大報章雜誌撰寫劇評和為香港電台演藝文化節目撰稿。1992 年，她參演由陳錦樂執導的《紅鼻紀錄》，該片榮獲當年香港短片節金獎。之後數年，老師口中的「Bugs Bunny」繼續在藝術和生活之間遊走。她曾被委約編導並帶領幼稚園老師、家長和幼兒作聯校戲劇演出，也曾獲聘為兒子學校的家長會戲劇導師多年，把樂寇的訓練帶到不同的群組中。時光荏苒，2014 年，她獲邀參演由盧偉力博士執導的《杜哈絲百年：如歌的中板／就這麼多》，演的不是默劇，是旁述。

---

[2] 英國維多利亞女皇時代的兒童文學作家威廉・布瑞堤・朗茲（William Brighty Rands）的童詩。

鄧偉傑：馬塞・馬素給了我很多心靈上的東西

鄧偉傑畢業於香港演藝學院後，放棄了簽約經理人的機會，在1989至1992年到巴黎的馬塞・馬素國際默劇學校（École Internationale de Mimodrame de Paris Marcel Marceau）進修，成為香港首位跟隨已故默劇大師馬素研習三年的資深舞台藝術工作者。留學歸來後，在演藝學院任教期間的暑假，他又再回到巴黎修讀樂寇的非全日制課程（Laboratoire d'Etude du Mouvement，LEM），專門研究物件和身體的關係。他在1993年成立同流工作坊（後改名同流），作多類型創作。同流的默劇製作有《士兵的故事》（1996）、《如果》（1994，與香港聾劇團聯合演出）、《活・在香港》（2015）、《都市的聲音》（2017）、《赤道上的冰花男孩》（2018）等，並開辦形體默劇恆常訓練。

回顧那幾年，鄧偉傑分享馬素的訓練和親身接觸到大師對他帶來的衝擊。「他給了我很多心靈上的東西，像聽一個大師說話，談他的創作、他的動作，一個藝術家如何融入一些很簡單的事，而且說得很吸引，他的喜悅令到我也很喜悅。這點很重要，就像你要創作時，你很歡樂才能令觀眾也歡樂，若生活不開心，我的創作也不會開心，我喜歡陰暗的東西，但我會用幽默的手法去訴說一件陰暗的事，不一定要哭著去說。

他主要是給了我們這種精神。學校的其他訓練則豐富了我以前學的演技，演技是怎樣將自己的情緒融入角色，只是自己，但在默劇的訓練中，會發覺對空間和能量之間的理解更多，我去之前是主修表演，回來之後做了很多導演的工作，因為對空間、節奏的控制在馬素的訓練中有所提升。」

「形體劇場」和「形體訓練」在香港經過了四十年的發展，已經廣為人知。我問鄧偉傑怎樣看現在香港劇壇對形體的運用。「我覺得現在沒有單一的專門技藝方向，葛羅托夫斯基式的訓練，或從日本或東歐傳過來的一些形體訓練方法等，這類訓練能夠給年輕人在大都市中難以發聲的狀況下一個很好的出路和表達自己的方法。身體表達透過訓練可以啟發他們很多，但創作始終要談內容。踏上舞台不能缺少的，是技巧，沒有技巧便駕馭不到舞台。

舉個例子，有時看一些演出你會有種感覺：為何他們的形體很像課堂上的練習？因為演員技巧不足，未能有意識地細緻控制身體。形體運用得好的演員，要有很深厚的技術訓練，更要有不同的磨練、鍛鍊，嘗試過不同的演出經歷。這個浸淫的過程需要時間，太急進地創作，延續性便會不足。

能夠在中型以上的舞台上演出的形體製作不多，首先內容要能吸引觀眾入場，觀眾進場後，要看你的技藝，令觀眾覺得這麼簡單原來也是很難，或這麼困難但做出來為何這麼簡單，不然很難吸引新觀眾。」

那形體劇場在香港應如何發展？他說自己也不知道，但首先是要不放棄。他仍然堅持教學，縱然學生不多。「疫情下，大家會看很多網上片段，但網上演出不能吸引觀眾進入劇場，只會令他們更沒有動力入場，所以我不太想將作品放上網。網上做形體教學是不理想的，教形體要看到整個身體，很多時要親身接觸學生的肢體才能有效地教授，而且需要不斷地觀察學生重複基本動作去判斷他的理解到哪個程度。像芭蕾舞，每課都是由最基本的動作做起，身體訓練就是從基本不斷的累積。網上教學和看書沒分別，有人可能學到外形，但學不到精髓。

香港人最欠缺、最看重的就是時間，要他們花兩個小時坐在一張椅上，移動你的重心，他們會去做瑜伽、跳鋼管舞、打泰拳，也可紓壓，但單是做形體動作我想很多人也沒有耐性。現在看學生，要先指出他們的不足，說若要做演員這樣不行，他們未必知道是否正確，但若提醒到他們的話，學生們便會有更大興趣、更清醒，會嘗試在課堂中尋找改變的方法。」

吳紹熙：形體訓練和傳承

吳紹熙是資深默劇表演者、面具製作師和面具收藏家。香港中文大學哲學系碩士，澳洲格里菲斯大學（Griffith University）戲劇教育碩士，於倫敦完成倫敦國際演藝訓練學校（London International School of Performing Arts，LISPA）兩年制樂寇式形體劇場訓練及體本默劇國際學校（International School of Corporeal Mime）一年制的德庫式默劇訓練。他也是完成美國一人一故事劇場中心（Centre for Playback Theatre）四階段訓練的畢業生、北美戲劇治療協會（North American Drama Therapy Association）註冊實習戲劇治療師和國際醫學及牙科催眠治療協會（The International Medical and Dental Hypnotherapy Association）註冊催眠治療師，亦是一位國際認可的「Feldenkrais Method」身心導師，以及「Jeremy Krauss Approach」治療師（一種幫助有發展障礙的兒童的身體方法）。他是香港少有受過專業系統訓練的面具師，曾跟隨著名的「反斗面譜家族」(Familie Flöz) 和意大利面具大師多納托・薩多力（Donato Sartori）學習面具設計與製作。他曾在十多個不同的歐、亞國家教授形體劇場，多次在波蘭波茲南表演藝術學院（Poznań Academy of Performing Arts）任教不同的形體劇場和面具劇場專題課程。是 2015 年暑假波蘭華沙默劇中心（Warsaw Mime Center）第八屆「現代默劇學校」的三位主要導師之一。

為何一位有志學術研究的哲學碩士，會走上如此截然不同的道路？吳紹熙說完全是意外。寫碩士論文過程中為了刺激閉塞的靈感，跑去學戲劇，竟然發現戲劇工作坊與他長期的哲學關懷相呼應。幾年後，毅然放棄修讀博士，全職投入戲劇並向心理治療發展。

在倫敦，他發現時間安排上竟可以同時修讀樂寇及德庫兩個體系的訓練，於是做了一個瘋狂的決定：上半天上德庫、下半天學樂寇，每天朝十晚十地上課。兩個體系極為不同，甚至有不少衝突的地方，如何可以同一時期學習？「我不會拿體系甲的概念去質疑體系乙。到了課室，我就清空自己，沉浸在那幾個小時的學習內。下課後，就是消化整合的時間，每天都受到兩套系統衝擊，提升了我的敏感度，讓我有比別人更大的空間，自己探索問題的本質。」

LISPA 的老師尤其令他心折：「老師問我們想要舒舒服服的兩年，還是多點跟自己不一樣的同學合作交流，讓自己在自找麻煩中克服各種挑戰和學習？學生傾向專心看精彩的即興演出，對形體表達能力稍遜的同學不感興趣，老師卻鼓勵我們從後者的演出中學習，豐富自己腦內的形體數據庫；到大家分組創作結業作品時，老師要我們思考，究竟要廉價的妥協（cheap compromise）還是充滿創造力的衝突（creative conflict）？」

如今他在世界各地教授形體，那對形體表演的藝術如何能夠有效傳承，有何看法？「我認為有影像是重要的，但單單只有影像的話可能是一種災難。最理想是三管齊下。馬素已經算有很多影片留下，儘管如此，後人都大多只能模仿其形態而沒有神態。默劇或形體動作中，最重要是如何由零開始創作、孕育一個作品出來，再與觀眾分享，若只看到結果的話，你不知道背後的原理、美學理念，沒有實際參與育成的過程，會容易產生很大的誤解，再經過大眾傳播媒介傳播之後，我甚至認為會有一種反宣傳和曲解的效果，是很嚴重的。」

他的三管齊下，就是利用科技製作的影像、文字紀錄和傳承者（老師），傳承者無論用他自己消化了的方式，或是標準化了的方式，都會帶給學生影像和書本沒有的體驗。

學術的背景加上廣闊的教學經驗，讓他對學院的角色有所期望，希望學院相對於個別傳承者，能肩負學術文化的使命和責任，協助學生了解不同流派或體系，讓他們以宏觀的視野看到整個藝術的藍圖，知道怎樣再去探索。「學習的時間緊迫，而沒有藍圖的話，學員畢業後可能會帶著錯誤的理解，很多地方同樣面對這個問題，就算在歐洲，對默劇的誤解也是很嚴重，默劇在主流的劇場，也愈來愈被邊緣化。」吳紹熙慨嘆。

《泰特斯 2.0》（2015），照片鳴謝：鄧樹榮戲劇工作室

立言篇

鄧樹榮：能廣泛應用的「前語言」表達方法

跟鄧樹榮談形體劇場，可以看到經過二十多年的研究，他在形體劇場的概念和應用已經錘鍊成一個完整的系統。

「形體劇場、默劇這個概念或名詞，很多人有不同的理解，形體劇場英文名稱是『physical theatre』，默劇就是『mime』，默劇又再分成『啞劇』和『體本默劇（或譯作形體默劇）』（corporeal mime）。

其實我已經不太會稱呼我的劇場為形體劇場，因為這個名稱太籠統，甚至有些誤導的成分。我認為任何劇場都要使用身體，身體是表達的工具。」鄧樹榮娓娓道來。

他稱自己研發的訓練為「從身體出發的簡約美學」，透過一種他稱為「前語言」的表達方法，幫助表演者提升感受以及表達的方法和能力。

「前語言」是甚麼？「當人類仍未懂得用文字或口頭語言的時候，他們用以表達自己的方法。而這種表達是不依靠外力，不靠任何道具，只依靠自己的身體，這就是『前語言』當中的可能性。籠統地說可以包括身體在空間的移位、面部的表情、肢體動作，呼吸、眼神，就連聲音也是身體的一部分，包括不是語言的聲帶的聲音，還有敲打、磨擦等聲音。我和演員一同創作時，首先要令他／她們經歷各種表達方法，他／她們熟習了『前語言』才加上語言，語言和『前語言』交替地運用，和一般單純只處理台詞有些不同，但最後的結果都是希望表演者能夠內外有機地結合。」他認為「前語言」表達方法這個概念既是創作也是訓練的方法。

創作也好，訓練也好，最後演員都要表演。鄧樹榮對「表演」的定義就是一個表演者有系統、有技巧地在鏡頭或現場觀眾面前，呈現自己的內在性。「有系統、有技巧」就像學習木工或一門手藝，需要某種技藝（craftsmanship）。「有系統」的意思是著重全面性，不能獨立分開。當研究一個問題或者某一個範疇而出錯時，可以從另一個範疇引證，這系統即是一個全局的考慮。例如某位演員聲音不夠大，但這可能不單是聲量的問題，可能牽涉他／她的感受，或表達的內在轉化出了問題。

他不斷把「前語言」的表達方法應用在不同的劇種上，例如話劇、無言劇、舞劇，歌劇。當年他放下法律專業，負笈巴黎新索邦大學攻讀戲劇研究，亦曾往印度靈修。1997 年，他創立無人地帶，致力探索不同的劇場表達形式。2004 年出任香港演藝學院戲劇學院講師，2009 年晉升戲劇學院院長。2011 年無人地帶改名為鄧樹榮戲劇工作室，著名作品不計其數，包括無言動作喜劇《打轉教室》（中國內地稱為《教室也瘋狂》），至今上演127 場，觀眾達二萬五千人；《馬克白》以精準破格的舞台美學及獨特的形體風格令觀眾耳目一新，在 2017 年在歐洲三個藝術節共六個城市巡演；2009 年的《泰特斯 2.0》，將簡約美學及形體劇場發揮到極致。他也在 2014 年創立專業形體戲劇青年訓練課程，至今已培育超過二百人。

「這套系統我剛回到香港時仍在摸索中，不斷嘗試一些零碎的想法；到發展至第二個階段，形體的流程已經出現，叫『動作流程』，先拆解這個流程，然後用語言處理一些事情或台詞，這階段也經過了一段長時間；當我於演藝學院任教期間，這個方式得到深化，到 2009 年我創作《泰特斯 2.0》時，就更深入地探討、研究『前語言』的表達方式，有系統地研究甚麼是『前語言』、『前語言』的種類、怎樣去深化、怎樣組合或單一地運用，這時，開始形成一個比較清楚的系統，

《泰特斯 2.0》對我來說，是在創作上非常重要的轉捩點，因為令我明確地確立了『前語言』的表達方式、怎樣運用在不同的創作需要上。」

詹瑞文：形體劇場應該開闊些、走遠些

走了三十年的形體路，詹瑞文（詹昊宸）現在看自己的形體劇場，已沒有將它規限為某一種表達形式，反而把它廣泛地應用於不同的表演上。

他首次接觸形體劇場是由默劇開始的，慢慢地，他的世界愈來愈大。「年輕的我，醉心於形體表達，是因為當時我的眼界還是限於那個範疇。後期（香港演藝學院畢業之後）我觀察世界的劇場：究竟是怎麼一回事？我作為中國人，有中國人的身體，中國人的肌肉、構造、比例、表達方式。無論我學哪一派，德庫、樂寇、馬素，都是學習西方人如何定義劇場。於是我開始意識到，我要透過自己的文化特質，重新定義自己的劇場形式。我更明白之前那些是「學習」，學完後不是要去重複我所學過的形式，一定要變成自己的形式，有我的文化特質，我的民族特質。」

1990 年，他跟隨格拉斯在其英國劇團上課、排練、實習並隨劇團巡迴了八個月。格拉斯其後建議他向戈利耶和帕略學習。他跑到法國，找到了這兩位，也跟隨過形體及物件劇場大師卡萊爾・赫根（Claire Heggen）。

詹瑞文明言自己很愛表演。為了做好，他會花比他人多幾倍甚至十幾倍的時間。人家用半小時練習的技巧，他會用三小時，甚至下課後自己去訂一間排練室不斷地練。

歐洲學藝之路一步步走，詹瑞文匯集了大量的知識，帶著歐洲劇場給他的種種養分回到香港，在 1993 年創辦了劇場組合。作品主要以「形體劇場」及「編作劇場」的理念為創作基礎，其中作品《男人

之虎》、《萬世歌王》及《萬千師奶賀台慶》更廣受歡迎，共演出超過二百五十場，詹瑞文的形體令他完全自如地掌握模仿的精要，觀眾嘆為觀止。

2008年，劇場組合改名為PIP文化產業，並破天荒地決定，因發展成熟而邁向新的營運模式，主動不再接受政府的恆常資助，以自力更生的模式發揚其理念「Pleasure・Imagination・Play——快樂・想像・遊戲」。

「我心目中劇場根本就是商業化的，甚麼意思呢？一般人認為『商業化』就是金錢掛帥，不夠藝術性。可是我看很多商業電影、叫好又叫座的戲劇藝術作品，包括在拉斯維加斯上演的馬戲表演，如『太陽劇團』（Cirque du Soleil）是非常商業化，卻也非常精緻、非常精鍊、充滿藝術性，更重要的是大眾化，雅俗共賞。

形體劇場很少會被形容為商業化，這詞語實在背負太大的爭議。但對我來說，我們好的戲曲是商業化的，雜技是商業化的，功夫電影也商業化，然而這些都是很厲害的表演。形體戲劇如果沒有了發放各種可能性的自由（liberation），只會愈來愈小眾，反之，它應該開闊些、走遠些。」詹瑞文說。

2010年後，他開始覺得自己的表演方向需要蛻變，否則便會重複自己。當時他已入行二十年，夢想大多已成真：既成立了自己的劇團，亦把學到的西方劇場理論在劇場中表現出來，同時亦將戲劇在香港產業化。下一步就是進入另一個領域，把所學的帶回去中國內地。

到現在，詹瑞文仍然是個創作人、表演者，只不過他的舞台不限於劇場。電影、電視、網絡平台、微電影、抖音都是他現在開拓的領域。「抖音我已做了一年，有兩個視頻片段的點擊率達到三千多萬。

有些是全新的領域，但劇場藝術一定要與時代有關，不能與時代脫節，所以我要去做。很富挑戰性。」

吳偉碩的「心體一技」：跨文化洗禮與昇華

吳偉碩的形體探索有點與眾不同。首先，他的起點是現代舞，一段日子後才接觸話劇；而且他研習的並非德庫、樂寇、馬素體系，而是先在1997年赴倫敦密德薩斯大學（Middlesex University）攻讀東西方戲劇研究碩士課程，再於2000年通過由新加坡劇場大師郭寶崑創辦的「劇場訓練與研究課程」，沉浸在不同的東方形體如能劇、京劇、印度婆羅多舞（Bharatanatyam）及印尼爪哇宮庭舞蹈外洋旺（Wayang Wong）等三年。回港後，他以其獨樹一幟的創造力和表演能力，參與不同類型、不同風格和跨媒介的演出項目，並遠赴歐亞多個城市參與創作交流和教學工作。他在2007年成立香港表演研究中心，進行表演理論、技法、美學的研究，融合和應用，把研究結果變成「身心表演訓練」系統（後稱「心體一技」）的內容。2010至2013年間，他在香港演藝學院戲劇學院從事全職教學工作。

強大的形體表達力已經成為吳偉碩在劇壇的標誌。但他曾經表示，對被歸類為形體表演演員有點保留。他是這樣說的：「有一次，我要扮演一個只能坐著而完成一段超過四十分鐘獨白的角色，我就聽說，有人奇怪我一直是個形體演員，是否可以好好演繹一個只能靠語言來表達自我的角色。這就好比說，形體是形體，語言是語言，兩者之間是一幢牆。」

東方傳統表演的形體各自有強烈的風格和規範，對應他的跨各種（東方）文化經歷，我問他是從哪一條脈絡將「心體一技」這個系統發展出來。吳偉碩解釋，切入點一方面是來他自我累積的跨文化經驗；另一角度是當人們把身體作為一個訓練核心並且放在表演上應用時的真實意義。

例如太極，他要求學員學會「背叛」外在的形態，但保留對於太極的身體的追尋，保留太極的質素。「我會要求學生用太極的身體做一件事，做甚麼也可以，但永遠要提醒自己整體的身體動作都要在太極的狀態。其他的身體形式也如是。我借用不同藝術形式內的核心在美學或技術上對身體的要求，而非身體外在動作。學員做甚麼動作也沒所謂，學過的任何技巧都能應用。我追求的是陰陽的對比、能量上的感受、身體的鬆沉等等。我要求學生用自己的方式，拆開這些形式的外形，找尋形式中最重要的根據。」

「心體一技」的「心」方面，吳偉碩強調訓練不能單是技術，要打開學員的心，需要有另一個層次的觀念，讓他們悟到以前認為對的事，其實未必完全是對的。這個「心」還包含了「心智」的部分，怎樣思考、思考甚麼。因為他想訓練一班懂創作的演員，而不是一班作為工具的演員，希望他們無論任何題材和導演都可以應付得到。

對於政府是否可給予形體劇或其他表演藝術更大的支持，吳偉碩認為相對於亞洲其他地區，香港政府已經是做得不少。他舉例說，在日本，要拿到贊助，常常是要很大規模的跨文化合作才會有機會；台灣也不是香港人想像的那麼多資助，台灣官方對藝術發展的支持，較香港更晚開始，以前，藝團要拿到贊助要做到很多東西，贊助費也不是很多。他的希望，是政府支持更多元化的發展，不要只看觀眾數量來決定。

陳恆輝：編作與形體

陳恆輝畢業於香港演藝學院戲劇學院導演系，在 1998 年成立愛麗絲教育工作室，後來在 2003 年改名愛麗絲劇場實驗室，現為愛麗絲劇場實驗室藝術總監。他的作品有強烈而獨特的風格。他的編作方法，不僅應用在演繹貝托爾特・布萊希特（Bertolt Brecht）、薩繆爾・貝克特（Samuel Beckett）和原創作品上，也滲透於他的教育劇場中。

他出身粵劇世家，卻從少年時代就熱衷地下音樂，其後更迷上了後現代主義戲劇，而且傾向影像（image）多於文字。「我第一個想做的舞台影像就是《薛西佛斯的神話》（*The Myth of Sisyphus*），石頭被推上山再滾下來的情節讓我有很強的影像；第二個就是將《查拉圖斯特拉如是說》（*Thus Spoke Zarathustra*）改成舞台劇。但要怎樣構成我心目中的每一個影像？例如推石頭上山，不是一個定格，是要不斷移動，影像和形體如何結合在一起，成為一幅我會一看再看的圖畫？我不斷在追求這件事。」陳恆輝回憶說。

2000 年，陳恆輝到英國唸教育戲劇，之後做了很多教育劇場，雖未到形體劇場，但都與編作有關。2006 年時他讀了貝克特的劇本全集，選演了當中的七個劇本，開啟了他與貝克特的不解之緣。

「貝克特除了其文學上的意識流的寫法，他的戲很多時都利用演員的身體。演貝克特對演員來說是很大的考驗，意識流像飄來飄去，演員不知道台詞的邏輯是甚麼；另外，貝克特很受卓別靈、史坦・萊路（Stan Laurel）與奧利佛・哈地（Oliver Hardy）等這些喜劇演員的影響，當中有些動作的靈感是從他們而來。有的劇本內，兩個角色一肥一瘦，就很像萊路和哈地。我當時在想如何做好貝克特劇目中的形體動作，雖然台詞有很多，形體動作也很多，而且需要有節奏感，很多時候需要投射出聲音，就算是動作也好，也產生出很多聲音。」

他的另一個作品，貝克特的《終局》（*Endgame*），是關於世界末日之後的環境，同樣地，演員的身體不停在動，動作同時在製造音樂，貝克特就是不停挖掘台詞和身體的節奏感和音樂感，比單純的形體動作更上一層樓。「當我面對尤其是貝克特的作品時，正正就是要探索身體與聲音的關係。」

我問陳恆輝為何他的演員經常塗上類似啞劇的白面。「白面是一種面具，因為很多時候演員並非只做一個角色，白色有一種功效和影像。另一原因，是白面放在不同的戲裡面，可以有不同看法。在《第三帝國的恐懼和苦難》（*Fear and Misery of the Third Reich*）中，白面代表了恐懼和驚慌，在《百年孤寂》（*One Hundred Years of Solitude*）則代表了落寞、寂寞，隨著不同的戲有不同的解讀和變化，本身不是單一的角色、可以做不同角色。」

作為導演，他看到本地演員對形體的把握在轉變。「早期的演藝學院學生唸台詞都很誇張，在八十年代末、九十年代初，香港看到的演出或流行的演出大部分都是話劇，他們又認為『演員』就是電視、電影演員，或是播音員、電台主持、配音員，所以那時候常常以聲音為先。但過了若干年後，開始有不同的網上媒體，藝術節也邀請不同的大師過來，台灣也開始翻譯一些大師的書籍等，打開了大家的眼界。2017 年我曾回演藝學院為師弟妹導演布萊希特的《三便士歌劇》（*The Threepenny Opera*），發覺學生對形體都很有信心，但卻要訓練他們唸台詞。歷史是一個循環。」

「現在入演藝學院的都很年輕，身體的障礙比較少，柔軟度比以前好，但有時他們忘記了一個概念，例如在台上若沒有對白、不是焦點時，就將自己停頓了，不單是形體上，甚至是精神上也停下來，缺少了『全身是眼睛』這概念，也欠缺觀照自己，沒有從第三者角度觀察自己的動作。

做好角色之餘，也要懂得批判角色，尤其演布萊希特，要從身體看到階級，看到社會性姿態，一看就知道是哪一種人。有錢人數鈔票和窮人數鈔票的方法也不同，要讓觀眾一看便明白。形體的表達很重要，要清楚和簡潔，演員要很了解，在知道角色的階級之後如何運用身體。」

行道篇

《黑犬鐵路》（2008），照片鳴謝：趙堅堂

陳令智：默舞劇《浮生六記》

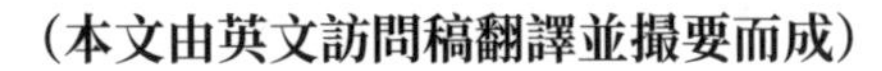
（本文由英文訪問稿翻譯並撮要而成）

1987 年的長篇默舞劇《浮生六記》由默劇人霍達昭和「香港芭蕾舞團」前首席舞蹈員陳令智主演，澳洲編舞家曾啟泰導演，在香港、澳門、台灣和澳洲共演出超過一百場。這個製作不單是當年香港少有的長篇默舞劇，更是陳令智突破芭蕾舞表演形式的第一步。

獲邀演出《浮生六記》時，她是聲譽卓著的香港芭蕾舞團的首席舞者，那段時間正想作更多新嘗試，當下立即答應。後來她辭去了職位，轉為客席舞者以獲得更多自由時間去嘗試不同的發展。

「《浮生六記》一劇，一切都十分簡潔，以情感表達的佔很多。在舞蹈中，常常都是以形體動作來啟動感覺，或以音樂啟動感覺。這一次卻不然。你首先要掌握情感的來源，因為啟泰並沒有像芭蕾舞般先編排動作，再加上音樂去帶出情感。做法完全不同，有如從外而內和從內而外的分別。這個製作是從內而外，它教會我很多東西，令我後來的電影甚至話劇工作都有所得益。」

霍達昭沒有受過舞蹈訓練，對他們在台上的互動有影響嗎？「對我來說這是次要的。我以情感去啟動形體，但是否用舞蹈的形體並不重要。我的訓練可能令我的手勢比較優美，或者下跪時的動作比較流暢，但霍達昭的專長是默劇。《浮生六記》改變了我以後很多呈現事物的方式，我受益不淺。在演這個製作之前我只有舞蹈，因為我當時只懂得一種方式，這個基礎幫助我在摸索時不用茫無頭緒。沒有工具如何可以用身體表達？人可以自困於熟識的方式中，當我只懂跳舞時我唯有跳舞，幸好當時我在無意識之中渴望嘗試新事物，沒有被既有模式困住自己。」

陳令智受訪時正在排練一齣無言的莎劇。「啟泰當年教給我的經驗，令我現在能意識到威廉・莎士比亞（William Shakespeare）用文字描述的是人性。排演這齣無言的莎劇，我們做的就是回歸原本，把外在的褪去，不再需要文字，而是回歸莎士比亞的泉源，亦即是他想說的那個故事。」

舞者用來說故事的工具就是舞蹈和形體。芭蕾舞的訓練，會不會令陳令智對形體有很高的技術要求？「固然你要不斷練習去達致完美的技巧，但於我而言，演出不是要求技術完美，而是感覺到位。舞者做到一個三周轉（triple turn），的確令人讚嘆。但通過技巧呈現的是情感，情感通過技巧向觀眾推進。如果技巧完美但觀眾沒有激動的反應，和看著一個陀螺在轉有甚麼分別？」她推崇雅麗珊卓・費麗（Alessandra Ferri）。「她的情感是一流的。她是頂級芭蕾舞者，但單從技巧層面來看她其實相當弱。當然所謂弱也不是弱，所有技術她都能做到，但舞壇上技巧勝過她的人多的是。」

在她眼中，形體的表達力可以勝過高聲疾呼。「在今時今日的社會，我們都用文字表情達意，已經成為牢不可破的習慣。例如你討厭某人，你會高聲喝罵他，但其實只需要一個眼神就足夠了。真的，眼神非常有力量。我們現在都趨向外在的表達，高聲表達不滿，『拍枱拍櫈』的，其實表達只需要一個眼神而已，就像母親只需看孩子一眼，孩子已經完全接收到一樣。」

陳令智多年來參與不同的表演媒介，但她強調基礎的重要性。「舞蹈給了我極佳的基礎。沒有它，我不會有能力演戲，在電影、電視等，或人生裡面的任何事，包括所有演出，『基礎』是很重要的。」

李然貴：默劇就是生活

李然貴由1992年起任藝穗默劇實驗室主席至今，見證了多位出色的形體演員的成長。他是資深默劇演員及導演，曾遠赴英國隨形體大師鍾士學習，他同時也是一名註冊中醫師，主治骨傷科。

1984年，李然貴在藝穗會工作，協助籌備1985年藝穗節。就這樣「順便」報讀了自己有份宣傳的力高老定（Nickelodeon）小丑默劇工作坊。工作坊後，他跟兩名同學成立三人默劇團，在香港各區表演。「地點大多是球場或中秋節晚會等。年輕人只要願意用腦袋創作，便有機會表演。觀眾一般就是街坊，雖然他們不知道甚麼是默劇，但是看得開心，只知道白面開心好笑。我的默劇路就是這樣由開心好玩開始。」李然貴笑說。

他停薪留職，在1989年籌款演出得到一部分財政上的支持，毅然赴英國狄士文・鍾士默劇學校（Desmond Jones School of Mime and Physical Theatre）深造。從英國回來後，他還受過多位形體導演的啟發，而且親身經歷不同文化的形體訓練。

「跟韓國尹鍾連導演合作，我才了解到韓國的形體劇場，與我認知的英美式有差別，尤其是體能方面，韓國人更具爆炸力，體能需求也很高。」

藝穗默劇實驗室過去的舞台作品中，有不少與外地導演合作，例如英國默劇家彼德・莉妮（Peta Lily）曾為藝穗默劇實驗室執導長篇默劇作品《咬你幾口》、《咱們的故事》、《王子十一月復仇記》、《狂人日記》、和《樂於嚇人》，韓國導演尹鍾連與金大建先後導演了《一試無妨》和《傻姑娘與怪老樹》。

不少觀眾覺得默劇「高深」，作為默劇團的導演和資深的街頭表演者，李然貴認為在不用言語去表達的情況下，在香港即食文化中沉澱不下來的觀眾就會覺得抽象。不少表演者擔心觀眾不明白，把事情變得愈來愈直白，令雙方的差距愈來愈大。

另一個問題是缺乏教育的渠道。李然貴說：「從來沒有一個默劇人走出來自稱『行內人』。自霍達昭離開香港之後，一直沒有人肯寫默劇和形體劇類的劇評。沒有文字紀錄讓大眾看到。我們從來沒有培養過默劇影評人，而且香港的媒介不是很多有文化版，也沒有建立有廣泛讀者的網上平台，所以沒有地方可以做教育。」

一直以來，藝穗默劇實驗室不斷培養形體人才。「三十多年來，有好些室員離開自行成立劇團。我就像一位母親，養兒育女當然會希望他們成長。」藝穗默劇實驗室的定位將來會否改變？「我暫時看不到，我只希望有更多人參與默劇，不只是參加藝穗默劇實驗室或其他劇團。我想有更多人向身邊的朋友介紹，默劇並非默劇，而是生活。默劇是會令每一個人變得更加好。」

對有志學習形體表演的年輕人，他以專業（中醫）角度提醒說：「鍾士老師有句名言：如果你的身體有任何缺陷，你都不是完美的表演者。他經常說，就算是腳趾或其他部位扭傷，你也不是一個完美的表演者，因此要好好保養自己的身體。如果年輕的話，你可以訓練到韓式的爆炸力。形體表演首先要考慮自身的體能，不要引致勞損或損壞身體，令自己成為不完美的表演者。身為中醫，我見過很多過於勞損的情況，當然如果是全職舞者那沒辦法。大家需要有適當的體能訓練，如果傷害了身體，你便再沒有機會表演。」

趙堅堂：長篇社會性默劇

千禧年，趙堅堂從香港演藝學院表演系畢業，他不但在話劇界大放異彩，更特別的，是他創辦了黑犬劇團，用無言的方式來呈現社會題材。至今，他仍然是唯一一位選擇長篇默劇這個藝術形式的演藝畢業生。代表作有《黑犬鐵路》(2008)、《照相盲人》(2010)、《一梯一伙》(2010) 及《40 周懷孕日誌》(2011)。

在演藝學院的默劇課堂，趙堅堂學到了抽象默劇和幻象默劇，也首次聽到馬素的大名。適逢馬素來港，現場看到馬素演出，令他震撼不已，畢生難忘。許多人看過馬素後會跟隨大師的步伐創作短篇的幻象默劇，但趙堅堂卻走出了他自己的特色，不但用長篇（達一小時以上），而且融入了極少默劇人會做的調研訪問工作，題材極富社會色彩，如港鐵、盲人、迎接新生命等。

為甚麼要做這麼嚴肅的題材？趙堅堂說：「作品可以憑空想像出來，也可以用資料搜集得出來。我的強項是在街頭做訪問、做資料搜集，探索作品的最基本底層在哪，這個方法令我的作品變得特別接近香港市民的生活。我會先定一個主題，然後去訪問很多相關的人。你愈能接觸到訪問對象，作品就愈會有『人』的味道，就會精彩。」

「創作《照相盲人》，搜集資料用了一年半的時間。靈感來源是我無意中看到的一個攝影展。一位日本的失明攝影師和他太太一起外出拍攝的作品匯展，用白色畫紙造出凹凸的『影像』，觀眾用手去摩挲紙面來『看』照片。題材有生活，有大自然，結構很美，我當時就想把這個令人感動的行為轉化成默劇作品。我找了一所盲人中心，訪問了好幾位後天失明人士，又訪問心光盲人院暨學校的教師和學生，準備工夫做了很久。

訪問搜集的資料愈細緻，創作出來的故事愈特別；能做出一個不平凡的故事，觀眾就愈發欣賞。例如後天失明者在失去視力的過程中，你猜他們害怕做甚麼？他們很害怕開門。因為他們擔心被人跟蹤，害怕有賊人窺伺，入屋行劫。由這個資料我創作了逐漸失明的攝影師開門的默劇片段。」

選擇長篇默劇的另一個原因，是一個信念。「當時大部分默劇演出以在街頭做一些幻象、小丑為主。我立志把它搬回去舞台，提起觀眾買票入場的興趣。」

「我的信念是默劇應該回歸劇場，才能售票，才能維生，才能繼續創作新的內容給觀眾欣賞。默劇是一種『簡單的藝術』，很優美，但很簡單，非常拿手說簡單的故事。可是如果故事複雜了，這種藝術便會有很多缺點。我想改變這個情況，我用默劇演一些複雜的故事，有偉大的主題，才能令觀眾欣賞。」

「作為創作人，在尋求政府支持自己的藝術前，要有作品讓政府看到。政府也是觀眾。我的《照相盲人》是康文署資助演出的，之前的《黑犬鐵路》有港鐵公司的公關自行購票來看，而且演出後立即給我回應。所以我認為香港默劇是有市場的，只要找到生存的方法。」

蘇春就：我們要的，是城市的味道

蘇春就（Mr Funny）記得他在1985年偶然看了一齣默劇，受到觸動，種下了默劇的種子。當初完全沒有當全職默劇人的想法，純是為興趣。1988年，他報讀霍達昭的中大校外課程默劇班，之後加入了藝穗默劇實驗室。

他原本是一名打金師傅，那段時間面臨決定繼續在一個夕陽工業做下去還是提早跳船。他當時已經有在中大校外課程和藝穗默劇實驗室，以及其後在藝穗會安排下當兼職小丑的經驗，1993年見到海洋公園開小丑訓練班，完成課程後有機會當表演藝人，覺得是個機會轉行。

他是首批受訓在海洋公園表演的小丑藝人。「我是全班最老的學員，比第二大的學員年長七至八年，其他都是十八至二十歲左右。」

「小丑和默劇在形體運用有很多共通之處。之前的街頭經驗對我在海洋公園的工作很有幫助，海洋公園的表演機會又裝備了我走上旺角街頭的技能。」

街頭與舞台的最大分別為何？「街頭表演很考人的能耐。你先要吸引觀眾圍出一個圓圈，你自己也要有極好的心理質素。上舞台會售票，保證有觀眾，表演者也無須特別照顧或理會觀眾入場。在街頭你要想方法讓觀眾停留看你表演，最後還要給你打賞，挑戰大，也會比較有成功感。我就是受到這種挑戰性和成功感的吸引，特別是現在，整個社會的壓力很大時，我希望能提供一些空間，讓人感到開心，紓紓壓。」

他在旺角、銅鑼灣和其他地區當了十七年全職街頭表演藝人，也曾在西九文化區的大草坪露天演出。但他認為有實質的分別：「整件事的風格並不配合。節慶或一般的嘉年華會，一次性的主題就可以。街頭表演的特色就是要有街頭的感覺，西九不是街頭，是個美麗的公園環境，街頭的文化不是這種空間出來，味道不同；比較上四方八面、不同階層的人都很容易聚集過來，西九卻不是一個容易到達的地點，不是一般人可以去到，那你表演是為甚麼人服務呢？街頭表演是為所有市民、為遊客服務。我們不需要那麼優雅的環境，我們要的，是城市的味道。」

他在 2010 年與政府打了一場官司，捍衛街頭藝人表演的權利。

「2010 年，是第二次受到票控，請了律師上庭。[1] 形成了一個壓力。我問自己，你會不會捍衛做街頭表演的自由？不捍衛，會成為歷史罪人。為何會打官司？是因為有一位路人甲願意成為證人，幫警方指證我，他向法官說我阻礙了他。我猜想旺角行人專用區上的活動帶來了很多投訴，這宗官司如果勝訴成為案例，執法當局便有強力理據制止街頭表演。如果我選擇認罪，會少很多麻煩，交交罰款了事。我會被當作小販阻街般處以罰款，但我不是小販，街頭表演藝人不應被當作小販處理。」

「街頭表演的社會功能很多，它可以把藝術帶去草根階層，它也是一個為表演者提供生活的方式，同時是個大擂台，有本領的會有機會入到正式劇場，甚至步上殿堂，外國許多出名的藝人和劇團也是從街頭冒起的。街頭表演是搖籃，從社會及文化，在本地軟文化實力上，有我的一份貢獻。」

---

[1] 2010 年 4 月 6 日蘇春就被票控在銅鑼灣阻街，東區法院裁判官以他的文化活動自由受《基本法》保障及對行人造成之阻礙亦為現今香港人接受範圍，裁定他罪名不成立。（案件編號：ESS ／ 19669 ／ 2010）

崔家樂：觀眾想像力有多少，我們就可以做到多少

崔家樂 2003 年隨孫國富初學默劇，然後用他的說法，「最初沒有培養出很大的興趣」，但還是加入了藝穗默劇實驗室，在那裡和大伙兒一起編作，透過不斷的演出來磨練。

「對於我來說，那時覺得演默劇很困難。」

藝穗會安排的文化交流機會，令他直接受益於南韓的形體表演形式，這次衝擊給了他很大的動力。「我們 2008 年去首爾藝穗節演《花木蘭》，因此結緣得以請來韓國的尹鍾連導演來港，為藝穗默劇實驗室執導《一試無妨》。」該劇先在香港演出，後來再到韓國、台北及澳門。「尹鍾連導演帶領我們做的是形體劇場，風格和我之前演的默劇大不相同，給我的感覺也是耳目一新。尹導演的訓練開拓了我的境界。」2012 年，另一位南韓導演金大建來港，為藝穗默劇實驗室執導郭寶崑原著的《傻姑娘與怪老樹》。

這兩位形體導演啟發他很多運用身體的方法，是他以前從沒想過的。兩次大型演出的經驗，令崔家樂對默劇投入多了。「除了孫國富老師、尹導演、金導演外，李然貴老師在旁不斷提點我，霍達昭師公不時也會回港『點火』，燃起我們追尋默劇的渴望和熱情，鼓勵我們不要固步自封，『做咗先』，要大膽嘗試，要爭取經驗，不要只著眼表演帶來收入。」

很多人認識他，是因為電影《喵星人》裡面的外星貓犀犀利，也因為看了他的訪問而認識「默劇人」的存在。「一般人不會問你甚麼是默劇！他們會問：『可否做些默劇來看看？』」

2017 年，他與黃定邦、鄭展晴創作的默劇《全日禁區》，入選塞爾維亞國際獨腳戲及默劇節，更得到「最佳默劇金獎」。「當時感到有很多憤怒，一直積壓著，於是我們互相拋不同的意念，創造了劇目的雛型。創作時還未有到外地參賽的想法，只租了一個二十多座位的工作室，演了兩場。之後才得悉塞爾維亞有這個國際獨腳戲及默劇節，試著寄出演出計劃。幸運地，主辦單位在數十份世界各地的演出計劃中揀選了我們參賽。我們沒錢訂機票住宿，還要多帶一位工作人員前去，於是冒出了眾籌的想法。演了兩場做眾籌，順便也請觀眾給我們改進的建議。」

他未來計劃嘗試多做把默劇與影像結合。「希望形體表演有多一點支援、多一點資源在民間多做外展活動，讓更多人接觸、認識默劇。好像藝穗默劇實驗室曾經應『香港管弦樂團』邀請，在香港文化中心與市民互動，就可以慢慢把默劇滲入觀眾的認知裡。我希望不只是依賴別的藝團邀約，自己也可以有資源做這一類推廣。」

「默劇非常善於與觀眾在現場即時建立連繫，不是單方面的，有很多互動，短短兩三分鐘已經建立到緊密的關係。我的第一身體驗是小朋友對默劇特別好奇，這個藝術形式有特別廣闊的空間模仿各種人物、動物、植物、死物……甚至不需要特定的道具、服裝，觀眾想像力有多少，我們就可以做到多少。」

薪傳篇

大衛・格拉斯和彼德・莉妮主持工作坊後與學員合影（1988），照片鳴謝：一本・小雪

霍達昭：燃點默劇之火

霍達昭本來是業餘畫家，正職是政府司機。他在 1969 至 1973 年隨徐榕生、黃祥習西洋畫，1970 年隨呂壽琨習現代水墨畫，1981 年加入「研畫會」，1985 年與王純杰等創辦「生命觸角畫會」。他的首次默劇表演是在 1982 年的香港藝術中心小劇場，跟著在藝穗節，因為畫展項目額滿未能參與展覽，竟又誤打誤撞地獲得機會演出自學的默劇。

「我原本是習西畫（現代式），對舞台表演只是愛好，特別是默劇，因一次意外的自學默劇演出，使我不能自拔，棄畫從默；那時對默劇演出零經驗，我把演出作活動雕塑展，這經驗也影響到我以後在默劇創作時，將人體空間與舞台空間互動處理，即形體當筆墨，舞台當畫布，事實上，默劇形體有很多受古典畫中人物造型姿態影響。」霍達昭說。從他的描述，看來他的概念與有二千年歷史的形體表演形式「擬定活圖片」（或譯雕塑劇）有異曲同工之妙。

藝穗會提供不少演出機會，於是他繼續默劇之路，1985 年更得到藝穗會和英國文化協會的支持，到英國默劇與形體劇場大師鍾士的學校進修默劇。鍾士師承德庫與樂寇，訓練方式傾向德庫但亦融入某些樂寇的元素。翌年，英國文化協會贊助鍾士來港為霍達昭導演長篇默劇《言寓香江》和雙人長篇默劇《天地玄黃》。1987 年，澳洲編舞家曾啟泰來港執導由霍達昭與陳令智主演的默舞劇《浮生六記》。

霍達昭由 1986 年起任教中大校外課程的默劇班，聚集了一群熱切追求默劇藝術的學員。在藝穗會的推動下，藝穗默劇實驗室在 1987 年成立，由霍達昭領導，不斷嘗試各類形式和風格的演出，探索如何把默劇本地化。霍達昭說：「藝穗默劇實驗室非常幸運，在成長中得到藝穗會和英國文化協會幫助，邀得多位外國默劇家來港設工作坊，其中最重要兩位是英國著名默劇家格拉斯和莉妮，由於藝穗默劇實驗室成立的宗旨是西方默劇東方化、本地化，他們來港帶領多個演出工作坊，做過有關祖先認知的《咱們的故事》、魯迅故事新篇《狂人日記》，還有其他如《動物農莊》等，都是長篇的製作。」

霍達昭為了默劇，甚至申請降職（當年《南華早報》在頭版報導）。1992年，他移民澳洲。然而，藝穗默劇實驗室成員都知道，「師公」每幾年便會回港「點火」，燃起眾人心中的默劇之火。即使身在千里之外，他仍然利用社交平台的力量，無間斷地傳送默劇知識給所有人。

藝穗默劇實驗室已邁向第35年，是香港歷史最悠久的默劇團。

沉浸在默劇藝術四十年，霍達昭怎樣看默劇在表演藝術中的角色？是「壞孩子」？「神秘的、源遠流長的藝術」？「無國界的現代藝術」？還是甚麼？

「默劇追本溯源有兩千多年歷史，它並不神秘，只是十分獨特獨立，沒有一個特定模式，但脈絡還是十分清晰的；默劇不是無國界，不同地域有不同事物符號和特色，所以默劇人需要有世界觀（認識）和適應；默劇像是『壞孩子』？應該說它是一個天真、獨特、執著的孩子，因它常以冷眼旁觀，輕視世俗，又常以尖刻隱寓諷刺虛假，它壞在不合群，卻又樂意混在人群中。」

黃國忠：計劃延續 2009 年的香港默劇節

黃國忠 1983 年起隨林立三及霍達昭學習默劇，1987 年加入藝穗默劇實驗室，1988 年成立默寄默劇團，1990 年，他看到以默劇作為事業的可能性，放棄在出版社的工作，成為香港第一位職業默劇演員。1991 年創立「花生糖木偶劇團」，其後創立「彩虹樹劇坊」，演出之餘也教授形體和面具。他同時鑽研玻璃藝術，現在是香港有名的玻璃藝術家，過著雙線的藝術生活。

1983 年一次幫朋友報名，不料自己卻是被抽籤抽中跟隨林立三上默劇初班的那個。「三叔（林立三博士）是美國正統的學院出身，訓練學員有如芭蕾舞般嚴格。下課後我坐電車回家，手僵硬得連從口袋裡掏錢也做不到，也根本無法抓緊扶手。三叔有 A 、B 兩班，我在 A 班，問他可不可以去旁聽 B 班，他回答說：『你來 B 班就要做。』意指默劇不是光看不練習的。於是我同時上 A 、B 班的課。很辛苦，很需要體能。」

之後，力高老定在藝穗節的演出令他畢生難忘：「咁都得？!……我呆了！一男一女，一肥一瘦，兩位都已不年輕，那表演真的是精彩絕倫！」

霍達昭給他另一個啟發。「霍達昭的教學法和三叔截然不同，差不多所有的時間都在做，我從他的教學中領悟到默劇原來可以很個人化：可以跟隨一個派別，也可以有自己的取向，很兼容。」

促使他走上專業之路，除了不斷追尋默劇的一團火，更有藝穗會的推動和社會因素：「藝穗會對我們的幫助很大，為默寄默劇團帶來不少受僱表演的機會。八十年代末期經濟起飛，人們渴望更多娛樂，對現場表演的需求十分熱切，許多中間人惟恐我們不肯接，演出前好一段日子便會先付上期。我們幾個年輕人看到了以默劇表演為事業的可行性，對默劇充滿了希望。」三十年過去，黃國忠對藝穗會仍然有「根」的感情。

當年的默劇在香港起步不久，探索面具和形體關係的人可謂絕無僅有。黃國忠的手藝天賦派上用場：「面具我也是自己摸索的。我參加了一個中大校外課程的雕塑班，然後嘗試用雕塑的技術來造面具，跟著又跑到李惠利工業學院學修玻璃纖維船，把其中的物料應用到面具上去，因此我早期做的面具是玻璃纖維的，很堅硬，船身要厚，而面具卻要薄。我表演用的所有面具都是自製。後來奈傑爾・傑米森（Nigel Jamieson）、約翰・威特（John Wright）和鍾士來港開工作坊，我從他們那裡學習不同面具。」

黃國忠在多次與亞洲的默劇人交流後，覺得身為默劇一分子，有義務促進不同地方的默劇人交流，2009 年決定舉辦香港默劇節和亞洲默劇連線。第一屆得到香港藝術發展局的資助，地點選在剛改建不久的賽馬會創意藝術中心，歷時兩星期，當中有多個演出工作坊，亞洲默劇連線邀請了台灣的孫麗翠、日本的小島屋万助和羽鳥尚代兩夫婦。香港默劇節邀請了多名本地的默劇人演出。黃國忠同時是默劇節的總監、推廣和表演者，壓力天大，香港默劇節虧本收場，亞洲默劇連線做了兩次也難以為繼，他不諱言有苦澀的感覺。儘管如此，他最近已開始和日本方面商談另一個默劇節，希望不久將來可以找到資助，促成此事。

李志文：空式默劇節的創辦人

以形體為主題的本地表演藝術節實在是鳳毛麟角。空式默劇節從2015年起開始，至今已經是第十屆（2021年3月）。它的出生以至延續，全是格詠藍調藝術總監李志文（Man）的心血。「空式」不賣票，看完演出隨緣樂助。每屆出一個主題，再聚集一群表演者。與其他演出更加不同的，是每一次空式默劇節的全程錄影都開放在網上供人免費觀看。

阿 Man 默劇師承霍達昭，其後跟隨格拉斯和莉妮進修及加入藝穗默劇實驗室，演出超過一百場默劇。他對面具亦有研究，曾學藝於世界著名面具大師威特，並參與其製作。看阿 Man 的默劇，會發現融入了很多他在書法和功夫的造詣。

「空式」另一個特色是多變。其一是在不同的場地舉行，例如聖安德烈教堂附屬的活動室，在賽馬會創意藝術中心，也有在某人家的天台。一般是有六、七個短篇，題材自由。大家合資，也分擔借用器材的責任。

第四屆「空式」用跑步形式，邀請一眾表演者一起跑十五公里到表演場地，然後帶著跑步的汗水和喜悅去表演默劇。

「默劇與跑步都需要一種堅持的態度。」阿 Man 說，隨即分享「空式」的由來。「當年我在法國逗留了兩個半月，與一個劇團合作做面具演出。閒來無事便周圍亂逛。有一天碰上了一個饒舌歌手（rapper）的『節』，地點是每星期輪流去一個饒舌歌手家中搭起臨時吧枱，開著音樂，互相鬥 rap，觀眾自由入內，免費的，沒有人要你買票，喜歡的自己去買杯啤酒也可。一進去，有五十多人，有老人家，有小孩，完全顛覆我對饒舌歌手滿身金鍊的反叛印象。

到晚上十一時，節目進入『自由搏擊』（free fight）時段，任何人（包括觀眾）可以自由上台與歌手『搏擊』rap 技，午夜十二時正關機，頓時由熱烈氣氛回歸民居的寧謐。我深深被打動。文化不一定是要邀請大師遠道而來，只要有一群肯專注某種藝術的人，藝術可以很『入屋』，很開放，給所有人一起去享受，來參與的不需要『入型入格』很『藝術』很刻意的模樣。

回到香港，我便發起了一個活動，只要專注於默劇的任何人肯來，我便提供空間給他們演出。香港做表演最大的問題是場地，而且日積月累的習慣，令表演者心中的『場地』都是那種正式的、最好還有專人做推廣的那種。缺乏場地令許多人沒有空間去做自己喜歡的事：魔術也好，DIY 手作也好、表演也好，有『空間』他們就有『做』的機會，才會有發展出自己風格的可能。」

他說，他的想法是「由下而上」，只要有更多人能夠有空間演默劇，有更多人看到默劇，默劇便有發展。有點像訓練運動員，不會只集中培養一兩個人。最重要的是「持之以恆」，參加的表演者水平未必很高，但他們在過程中會看到其他人的演出，會引發他們的追求。

他也沒有限制默劇人才可以參與「空式」。「空式」的表演者有舞者或其他形體表演者，「不要問得唔得，先做出來！」阿 Man 認為西方的默劇源流也是與舞蹈互為影響，根本不須拘泥於藝術形式。

未來？第二十屆、三十屆「空式」相信沒有懸念。「我希望強化宣傳，多放些片上網，配以導賞式的簡介，讓觀眾更容易被吸引。」

陳俊雄：教導默劇演員之餘，更培養了很多默劇觀眾

陳俊雄（或他更為人熟悉的名字——Eric the Mime）在 1997 年通過香港藝術中心默劇班接觸默劇。本來隨遇而安、沒有甚麼特別追求，只是少年時期在電視上看過傳統啞劇的雪泥鴻爪，覺得空無一物之中竟能創造出栩栩如生的意象，十分有趣，誰不知竟然愈學愈有興趣，從此投入演出與教學。

Eric 有兩個特點：第一，是學生多，第二，是把默劇和身體語言的研究融會貫通。

「這十多年來我粗略一算，教過的應該有過千人了 。」

他自問沒有學院正式訓練的優勢，很清楚要有好的定位才能長遠發展。

摸索了很久。「那時候默劇人不多，只要自己肯去努力爭取，機會還是有的，同時也多看外地和本地的演出，向大師們偷師。我每次買票進場，都百分之二百地全神貫注於大師的每一個小動作，有外國老師的工作坊都盡力去報名。」

慢慢地，Eric 得到了在小學教默劇的機會。2002 年成立了無聲模式，開始自己接演出。他衡量過，與其辛苦競爭政府資源，不若自食其力，做自己想做的創作，便決定以自己的積蓄支撐主要的運作，偶然也嘗試申請資助。

這些年來，Eric 以教學及商業項目支持下去，真的沒資源便找一份全職工作。不斷豐富的網誌和 YouTube 頻道影像庫為他爭取到知

名度，甚至是外國的教學邀請。更有外國的九型人格教練看到他的影片，願意出資向他購買版權供教學使用。

他在工聯會業餘進修中心、在學校、在商業培訓教默劇：早期的教學較注重技巧性，後來發展到傳授技巧之餘，更強調如何「用身體去說故事」，也就是說，著重故事的結構。當中再結合他對身體語言的研究，把身體表達和身體語言連繫起來，學員便得以觸類旁通，通過默劇吸收層面更廣的知識。

2011 年後，他自行開班，那時要「一腳踢」，早上五六時起床去訂康文署場地，競爭十分激烈，成本增加了，也很飄泊，試過同學每個星期都要去不同的場地上課。兩年後，他和朋友在大角咀租了個工作室，解決了場地問題。學費再次調高一點後，他發覺報名的都是真心想學默劇的朋友，流失率跌到很低，令他很鼓舞。不過工廈的工作室已經不再繼續，Eric 又回復當年「逐水草而居」的日子，幸好現時可供按次租用的工作室選擇很多。

無聲模式既有培訓，也作演出，Eric 的學生雖然在外各有發展，例如當魔術小丑等，但都會在他「埋班」演出時回來參與。他未來的計劃是發展網上平台演出，在形式上脫離舞台框架的取向，採用更貼近電視的製作方法，令內容更豐富，及配合習慣看電視和電腦屏幕的觀眾的視角。

Eric 觀察到香港的默劇發展已經超過四十年，但仍然有很多人不願去探索默劇，要打破觀眾的心理障礙，他要讓默劇變得易於接受，而非「很深奧」、「很用腦」、「很高層次」。

「很難期望會有公帑資助，有的話規限也會很多。商業贊助又可能會有干預創作的擔心，默劇觀眾畢竟比較少，難以入贊助商的慧眼。」他一如既往，強調「做好自己」。

藝穗默劇實驗室部分成員在藝穗會門外合影（1988），照片鳴謝：一本・小雪

藝穗會——香港默劇的搖籃：謝俊興訪談

多位訪談的藝術家都提到了藝穗會在香港的形體表演發展中的重要角色。藝穗會總監謝俊興，BBS，不但一手把藝穗會從牛奶公司的一個破爛冰窖改建為一個充滿活力的當代藝術空間，策劃了二十多個藝術節、創辦了「乙城節」，更編了六個形體劇，作品在阿德萊德、曼谷、胡志明市、首爾、上海、新加坡、台北、東京、威尼斯等地展演。四十年前如何在極少的資源下為香港藝術家開拓空間、一步步走來的故事，有甚麼比聽他親自道來更生動呢？

謝：1984 年第二屆藝穗節，參與團體有爆炸性的增長。之前參演只有四、五十個，但 1984 年增加了一倍。於是我們找到下亞厘畢道牛奶公司冷藏庫這個地方，原本只是借用一個月，豈料藝穗節即將完結時，政府產業署對我說我們可以繼續用這座建築物，直至他們另有用途為止。這對我們是一個大轉變，由一個以「節」為本質的運作，變為有一個固定地點年中無休的會所，是很大的挑戰。因為原本計劃的節目都已演完了，如何可以好好利用新的場地呢？當時有兩大問題，第一是財政，由一年只做一次四星期的藝穗節，變成十二個月，我們要思考如何可以維持這地點。其實我們之前的運作許多設備都不是自己的：舞台是借回來的，連台燈也沒有，拿櫥窗的聚焦燈來充當台燈，沒有調校光暗的儀器，只可以「手動」牆上面的光暗掣。

第一位在藝穗會做默劇的人是霍達昭，其後有一位土耳其來的藝人名叫 Aslan。他的出現也很特別，是在藝穗節時他主動向我自我介紹，說他是街頭表演者。他隨著藝穗節的團隊在香港不同角落表演，做些默劇。1985 年，另一隊在遮打花園表演默劇的表演者，是來自倫敦的「Mike and Dave」，他倆受過默劇訓練，一位兼演魔術，另一位玩雜耍。他倆是由倫敦柯芬園的夏樂美（Camilla Reeves）介紹來香港演出的。夏樂美有一段時間曾是「中英劇團」的助理舞台監督。當時正是街頭表演形式大行其道的時期，人才輩出。

我在香港藝術中心工作時，認識了來表演的格拉斯，當有了牛奶公司這場地，我告訴他，並帶他去參觀。他一看就說這是非常適合演默劇的地方。但我們連台燈都沒有，根本演不了。於是我們向藝術中心借了一支「豬嘴燈」，也要偷偷低調做，因為是非正式地向他們的後台人員借用他們的剩餘物資，沒有光暗裝置，直接掛了上藝穗會天花板上的一個鈎。格拉斯就是這樣，用一支豬嘴燈完成了他的精彩演出。我記得他的一個作品只有一雙手放在台燈範圍下，就這樣演了整個盤古初開生命起始的故事。我們看得目瞪口呆，這麼簡單就做出如此豐富的內容！

這次啟發我很多。原來精彩的演出可以無須佈景、白面。一支燈已得到所需要的舞台效果。一個沒有資源的場地如藝穗會，是有可能發展默劇的。後來格拉斯和莉妮來看霍達昭，我們一起思考應支持他跟隨哪位大師學藝比較適合，最後格拉斯和莉妮認為鍾士是首選。我們從中牽線，也得到英國文化協會的一個資助，及夏樂美幫忙在倫敦為霍達昭找了落腳的地方，促成了他的英國之行。初次來港演出便風靡大批觀眾的力高老定兩位藝人也是鍾士的學生。

霍達昭在 1985 年藝成回港，我們開始籌備第一個長篇默劇演出。我情商了杜國威編寫一個默劇《言寓香江》並邀請了鍾士來港六星期導演此作品。更巧的是當時鄭碧儀在法國畢業回港，於是邀請她合演當晚第二個劇目《天地玄黃》。

藝穗默劇實驗室在霍達昭帶領下開始起步，詹瑞文、黃國忠等是其中一分子。我和格拉斯留意到詹瑞文的天分，格拉斯安排他進入自己的劇團，邊參與巡迴演出邊吸收經驗。

1987 年我在澳洲阿德萊德市認識了編舞家曾啟泰。我意識到如果要繼續在香港推進默劇，需要把它帶到更大的場地。

當年我們已有第一批自己的台燈，是從一個解散了的英國劇團而來，多虧了夏樂美幫忙安排運送，我也尋得國泰航空公司給予部分資助，以貨運方式送來香港。我還記得這一批燈款式是很古典的，雖然舊，我們已經十分高興，在完全沒有經費添置器材的情況下，親手把它們開箱真是莫名的興奮。然而我們沒有意識到，台燈是要經過燈光控制台才能操作的，以為插上電源便可使用。除了康文署之外，只有藝術中心有這種台燈控制裝置，從英國的 Rank Strand 廠訂，要百多萬元，更要由英國請對方的技術專家飛來香港設置。那豈不是得物無所用？

藝穗會當時有一批義工，其中一位十分沉靜。我問他叫甚麼名字。他答：「照明」。我打趣：「照明？」原來他是一位電機工程師，姓葉名照明。他用一些原子粒、主板等自己砌，為我們砌出了第一座台燈控制板。有了像樣點的舞台，默劇開始上演，不同的組合如 Three Men and a Mime、默寄默劇團等等開始冒出，百花齊放，十分精彩，常去澳門等地演出。霍達昭把《言寓香江》帶了去澳門的崗頂劇院，那是一所有二三百年歷史的劇院，本來已失修，後來被葡京修復了。霍達昭也在澳門教工作坊等，藝穗會和澳門藝穗會合作了多年，後來澳門藝穗節也誕生了。

曾啟泰做的是舞蹈劇場，主要用形體來說故事。我在阿德萊德看了他的《馴悍記》(*The Taming of the Shrew*)，對他可以不用對白呈現莎劇精粹十分雀躍，決心要認識他。我在演出後留下來，所有觀眾都走了，一個頭髮不多、其貌不揚的人開始掃地。我問他演出的藝術總監在哪裡，他答：「我便是。」就這樣，我認識了啟泰。

香港大會堂二十五周年，找藝穗會做一個製作，我計劃把默劇帶上大台，選了沈三白的《浮生六記》作題材，我寫劇本，請曾啟泰導演，霍達昭演沈三白，陳令智演芸娘。藝穗默劇實驗室的黃敏賢演其他所有角色。

為何是《浮生六記》？其實我沒有甚麼編劇的經驗，有點戰戰兢兢。偶然在書店看到這本清代的作品，沈三白以六個篇章記載了他生命中的六段歷程，和他可愛而性格鮮明的妻子芸娘。我想我可以寫六個故事，組合成為一個長篇製作。

整個《浮生六記》都是我和啟泰不斷試驗、思想碰撞的成果。舒巧和曹誠淵的劇評讚不絕口。

這個默劇製作後來帶到了台北、澳門和澳洲演出。台北的場地可容數千人，三場全滿，最後總共演了一百場以上。

霍達昭在 1992 年移民澳洲。默劇繼續在香港發展。我的另一原創劇本《沈金寃》在大會堂演出，主演是孫國富，但舞台佈景和道具相當複雜，難以重演。我記得劇中有一隻活雞，演出完了，如何處置呢？有人建議宰了來吃，當時的助理舞台監督李然貴反對說：「我們不吃演員！」後來他把雞拿了去新界一個農場。

1992年演《遠大前程》，由「悉尼劇團」(Sydney Theatre Company) 和藝穗會合作，在香港文化中心大劇院演出，是當年「亞洲藝術節」的開幕節目，也是啟泰導演，演出後吉隆坡那邊想請我們去演，但佈景實在太龐大，何應豐設計的，要造一台能搬去外地用的要百多萬，實在負擔不起，唯有忍痛放棄。

我和啟泰合作了十年，1996年我們在他退休前在大會堂上演了《蝶非蝶》。1997年後藝穗會開展了乙城節，藝穗默劇實驗室愈加活躍，格拉斯和莉妮來了香港數次主持工作坊和導演，例如2000年莉妮導演的《王子十一月復仇記》等。2009年，我們邀請南韓導演尹鍾連來港為藝穗默劇實驗室導演《一試無妨》，2012年，藝穗會邀請了南韓導演金大建來執導他們演出郭寶崑的《傻姑娘與怪老樹》。藝穗默劇實驗室其後去過深圳、首爾、澳門等交流演出。

形體中與西：與粵劇名伶及跨媒介藝人謝雪心一席話

香港著名藝人謝雪心（心姐）以七歲之齡參與電影《七小福》拍攝入行，十一歲開始跟隨任劍輝及白雪仙拜師學藝，是她們最後一位入室弟子。心姐本來專演花旦，並在 1995 年首度參演舞台劇《虎度門》，之後還晉身廣播、電視及電影界。她為了懷念師父任劍輝，苦練功架轉演文武生。我有幸能得到心姐分享她的藝術歷程和不同媒介要求的形體表達的心得，也向她請教粵劇形體的美學。

謝：粵劇當中有六個行當，正所謂隔行如隔山，不要說由花旦轉做文武生，就算由小生轉做丑生或武生都不容易，而電影、舞台劇、電視，或廣播劇都有不同，我本著一個宗旨：我永遠是一個新人，因為你未接觸過，便是一個新人，心態上也沒這麼害怕，能容許自己犯錯，而且我也可以問其他人；我第一套拍的電視劇《親親，親人》，當時要第一次外出拍外景，導演有點擔心我，我跟他說不要緊，希望他每次見我有甚麼做得不妥時要立即告訴我，因為我演慣了舞台劇、粵劇，都距離觀眾很遠，所以我們的造手、關目，不會太過細微，否則觀眾便看不到。拍電影、電視便不同，鏡頭會拉近到面孔上，所以演技不能太誇張。

我在七歲時拍過電影，後來演粵劇，再演舞台劇，之後才開始拍電視和電影，所以我很害怕自己拍電視時有舞台劇的影子。當時很幸運，遇上一位叫 Andy 的導演，他會告訴我：「心姐，你的關目出來了。」我很感謝他，因為他們我才能改善得更快，若別人不告訴你，你做錯了也根本不知道，還以為自己演得很好，所以我現在仍很感恩。我覺得一定要請教別人，你才能有進步。

但有時候當適應了不同的環境，也會出問題。記得有一次我拍電視劇拍了很久，接著要出席一個籌款節目演粵劇《牡丹亭驚夢》，我的劇迷後來對我說：「心姐，你的演繹不同了呢，好像生活化了。」我立即醒覺，是因為電視劇令我的粵劇「收斂」了。下一場我的水袖便更甩開一些；演慣了電影電視又自然地影響了我的粵劇演出，所以在兩者間不停轉換是艱難的。

第一次演舞台劇是《虎度門》，那時候是蕭芳芳演電影版，我演舞台劇版，我經常去電影組探班，我演的角色和芳芳一樣是冷劍心，我便虛心地學習一下怎樣演繹，踏出了演舞台劇的第一步，幸運地這齣舞台劇我仍是粵劇扮相，是將後台的風光推到了前台，所以就算我演的時候有一點粵劇的影子、粵劇的關目，也絕對沒問題，經歷並不艱難。

第二齣便困難多了，是外國劇《美狄亞》（*Medea*）。美狄亞為了伊亞宋離開自己的國土，生了兩個孩子，但丈夫仍然有了外遇。其中一場戲是伊亞宋和美狄亞吵起來，當時我的造型是一頭紅金髮加修腰衩裙，本身已有剛烈的意味；我想，身體要怎樣才能表現美狄亞的怒氣？我為了這套劇練了聲樂，在開場時舞台一推出來，美狄亞伏在地上咆哮發洩自己的憤怒，遠看只是見到一頭紅髮，聲帶的運用幫助了我；然後在吵架那場戲後，我想到將《帝女花》中長平公主上殿的身段放在這一幕，發覺效果不錯：就算是不同的東西，若能放在準確的地方，原來也可以。2004 年，我因為旁述奧運會，有機會到雅典去。我抽空到巴特農神殿坐了半小時，因為《美狄亞》的故事就在這裡發生。我真的很感動，從事我們這一行業，心態和普通人不同，我想，自己若在這裡出生會怎樣，普通人可能只是拍個照便走，但當時的那種快樂真是想像不到。

鍛鍊歷程

我拜師學粵劇，當中多年的訓練並不是一帆風順。那時候我在「雛鳳鳴劇團」，我們十三個徒弟準備在普慶戲院演出折子戲包括《辭郎洲》、《碧血丹心》等。看著師姐們人人也做到點腿反身等動作，我呆呆看著她們，發覺自己跟不上，覺得自己很蠢、很羞愧，甚至想退出，一首歌就只有你跟不上，這是我第一次跌進谷底。但回想任姐（任劍輝）、仙姐（白雪仙）和父母都不會覺得我是對的，因為當初我誓神劈願說不怕辛苦，想到「台上一分鐘、台下十年功」，師姐們都有數年經驗而且也演出過，而老師也不會只針對你一個人來教學。後來我想到一個方法，拿一張白紙和一支筆，將動作畫下來，點腿反身雙腳要怎樣，其他動作又要怎樣，像現在用手機錄影；我覺得自己能夠將勤補拙，比別人做多一點便可以，但當時真的很辛苦，因為那種痛苦、焦慮別人感受不了，若當時我放棄，便沒有現在的謝雪心。

學戲時，平日我們可以回家，但連續多日演出時，師父會在彌敦酒店訂了酒店房給我們住，不用我們舟車勞頓，就算演神功戲的時候，我們也會訂度假屋暫住。記得第一次在長洲演神功戲，兩位師父都有來，用一隻遊艇接我們去，還陪了我們多晚，所以我們很幸福，因為當時在戲行當粵劇學徒，若要跟一個大老倌，不用交學費，但要簽一份合約，你畢業出身後，每次賺的人工要分給師父，有些採學院制的，則是每個學期交學費，算是雙方最沒有瓜葛的制度；我很幸運的是，任姐和仙姐已經甚麼都有，只是很喜歡粵劇這藝術，很希望培養一群孩子做接班人，所以不但沒有收我們一分錢學費，更照顧了我們所有日常生活的開支，每星期煲湯和糖水給我們喝，還為我們買乾糧，怕我們肚子餓。

那時候我上午要上學讀書，下午才回去練功，練完就去仙姐家吃飯。練完很多時已是晚上九時多，有時候我還要練游泳，如果要比賽的話，我要用更多時間練水，所以一個麵包肯定不夠我吃。記得有一次，我對任姐、仙姐說，我明天要去澳門比賽。她們就不用我練功。比賽快要開始時，我聽到看台上有人叫我：「阿心，加油啊！」原來是任姐、仙姐來了為我打氣，我高興得要命，比平日練習游得更快了。我第一次在香港大會堂演英語粵劇，她們沒告訴我來了，偷偷在樓上包廂看我演出，那一次英語粵劇她們看得很開心。

為了任姐轉行當

最初我是學底功，即是中性的，底功是每個行當也一樣的。若是刀槍劍擊就不同了，武旦刀和男子的刀也不同；最初我也沒學到這麼高階，後來仙姐開始派戲，我身高仍是差不多，她派了《紫釵記》讓我演，誰知我突然開始增高了，排戲時開始要沉腿，定下了做花旦。

數年後我轉了角色做文武生，是因為任姐離開了我們。這是我第二次心情跌至谷底，之前我們的每次演出，她一定是坐單邊的第一個座位，她走了後，我們仍繼續在演，但任姐已經不在那個座位上，那一種心情實在很難形容，觀眾在演出後愈是鼓掌，我們的心情便愈是難過，沉重得甚麼也不想做。

經過一段時間後，我回想當初任姐讓我入門，對我這麼好，看著我長大，希望我們這一群徒弟繼承她們，我是否應該將思念她的心情，在舞台上延續下去？我很幸運地有兩個師父，仙姐的嚴謹和創新是全行公認，「戲迷情人」任姐則風靡萬千戲迷，我能否將她們的藝術延續下去？

粵劇的「唱做念打」，能唱是先決條件，唱不到平喉根本不能入行，我找了一位師傅，教我唱平喉的低音，一邊聽任姐的歌曲捕捉她的神髓，但「功」又怎麼樣？因為我長得高，平日多是穿平底鞋，但做文武生的鞋很高，若是高靴則更高，還要穿起來打，於是我想到一個方法，把家中的拖鞋扔掉，每次回家都換高靴，幸好沒有扭傷。

我花了一年多時間，終於轉型成功。我也要感激很多現在的文武生，當時他們偶爾會問我何時起班演花旦，但都被我婉拒了，因為我當時仍未成功轉行當，為了這個心願我婉拒了所有邀請，並付出了很多，但我仍覺得是值得的。

後來我將任姐的幾齣戲搬到香港大會堂演出，成立了自己的班牌，叫「悅心聲劇團」，是喜悅的「悅」，希望任姐能聽得開心。

粵劇形體的美學

你問我粵劇形體是否都講究「圓」？怎樣才為之漂亮？可以這樣說，「圓」才是最好看的動作，但也不能去盡，會失去形體上的美感。仙姐經常叫我們去看敦煌壁畫，她告訴我，演花旦一定要像敦煌壁畫般美，從所有角度看都會美，所以每次演戲你都要覺得自己是一幅敦煌壁畫。

粵劇的台上走位是否永遠不會走直線，粵劇永遠都是走圓台，就算向前走，腰也要向一邊彎曲才是漂亮。若是男生的風流倜儻，最基本是肩膊不要向上縮，要放鬆不要貓背，要有一點男兒氣概，無論是書生或大將軍，姿態也要堂堂正正；其實演文戲也很辛苦，雖然不用打但要站得漂亮也不容易，每一刻也在用力，所以演文場戲也可以很累。

至於武打，最重要是學懂呼吸。有一位老前輩告訴我，打的時候不要連續瘋狂的打，要懂得何時呼氣；所以台上的每一個動作都是用盡全身力量，除了做丑生，就算演書生、老生也要提氣，像我演《六國大封相》的推車戲，永遠是四叔靚次伯做坐車，要有很高的下腰、單腳功架，絕對不簡單。

每一個劇目都要演幾個小時，對體能的要求很高。若是在虎度門，通常都是打響了鑼鼓才出場，我們從小開始訓練當然沒問題，很多演員聽到這麼響的鑼鼓便會有點怕。其實每一個行當出場也有不同的安排，對我們來說，在沒有鑼鼓聲時要出場反而更困難，例如我在演書生時便要再次適應，心也跳得很快。

電影和電視的形體

到了拍電影和電視，演員不會和鏡頭交流，不能望鏡頭，但我在電視主持《下午麼麼茶》時，又要介紹產品，又要望鏡頭和觀眾交流，這對我來說又要從頭學起。

我覺得拍電視反而可以做回自己便可，不用任何誇大；但拍電影就有些不同，電影的要求更高，導演要你望那裡便望那裡；舞台劇的演員有他自己的形體動作，可以吸引觀眾，但拍電視、電影不用做這件事，因為你平日通常不會做那些形體動作，可以不用這些來吸引觀眾，會顯得很造作，只是做回常人便可。

即使如此，還是要做足功課、交足戲，觀眾也是知道你有沒有做足功課，最重要是能帶領觀眾進入這種情緒。

因為經過了長時間的粵劇訓練 ， 古裝劇我會更容易拿捏 ， 但在最初拍劇集的兩 、 三年時間 ， 演時裝劇時還是要刻意清理一下思緒 。

平日的練功方法

我在疫情前仍有繼續游泳，若沒戲拍、有空的話，我便會去健身和游泳，還會帶我兩隻狗狗一起去游。

給年輕演員的話

我希望年輕人無論學甚麼也好，最重要是有恆心、耐心，不要輕易放棄，因為沒有一件事能一開始便做到最好，「唱做念打」就算已唱得很好，打就可能不夠好，你便要追功。

雖然現在的演員很少會像我們那一代訓練這麼多年，但也不要緊。訓練的時間未必代表就能學到多少。如果很用心去學，可能用半年時間已能學到其他人一年學的東西，若已學成所有基本功，再用演出來爭取經驗也可能是好事，而且要不恥下問，尤其在現場演出的時候，不會完全不出錯，但錯得多才能學得多，這是碧姐（鄧碧雲）告訴我的：不要怕失敗，要給自己機會改進，一停下來便會停滯不前沒有進步，就算自覺已在巔峰狀態，但一山還有一山高，唯有不斷努力才能對得起自己。

疫情下是大家也想像不到的環境，無論哪一行都吃力，老闆和打工仔各有困難。演藝界無論是演粵劇、話劇、音樂也好，都停頓了一年以上。以前演神功戲若遇上颱風，都只是哪裡颱風便哪裡停演，就算在 2003 年非典型肺炎時，神功戲也沒有停演。但今次的 2019 冠狀病毒疫情真是史無前例，不過窮則變、變則通，我們嘗試網上義唱，希望能幫助一些前輩，尤其一些沒有固定劇團的年長演員，政府的資助幫不到他們，我們便辦活動為他們籌款，因為「飲水思源」是我們的座右銘。

參考書目

Hall, E. (2008). Introduction: Pantomime, A Lost Chord of Ancient Culture. In E. Hall & R. Wyles (Eds.), *New Directions in Ancient Pantomime* (pp. 1-42). Oxford University Press, UK.

Ingham, M. (2005). Hong Kong-based English-language Theatre. In M. Ingham & X. Xi (Eds.), *City Stage: Hong Kong Playwriting in English* (pp. 1-10). Hong Kong University Press.

Lecoq, J. (2006). Imitation: from mimicry to miming. In D. Bradby (Ed.), *Theatre of Movement and Gesture* (pp. 1-5). London: Routledge.

Moschochoriti, R. (2009). *Physical theatre as an approach to contemporary stagings of classical Greek tragedy* (PhD thesis). Schools of Arts, Brunel University, Uxbridge. Retrieved from http://bura.brunel.ac.hk/handle/2438/3989

Murray, S., & Keefe, J. (Eds.). (2007). *Physical Theatres: A Critical Introduction*. London: Routledge.

中國學生周報（1968）。苦難默劇演出公告。**中國學生周報，818**，1968 年 3 月 22 日。

丘庭傑（2019）。關於 1940 年香港上演《民族魂魯迅》的考察—兼論蕭紅、馮亦代詮釋魯迅的差異。**興大中文學報，45**，173-199。

吳紹熙（2016）。波蘭的「劇場私塾」和「地下劇場」（下篇），**國際演藝評論家協會（香港分會）Artism Online**，2016 年 3 月號，取自：https://www.iatc.com.hk/doc/79279

政府新聞處（2003）。世界頂尖默劇大師馬塞・馬素載譽重來演出兩場，**新聞公報**，2003 年 3 月 12 日，取自：http://www.info.gov.hk/gia/general/200303/12/0312076.htm

香港藝術節協會（2021）。**過往節目**。取自：https://w2.hk.artsfestival.org/tc/about-us/past-programmes/past-programmes-2021.html

香港學園傳道會（2021）。**DRIME 默劇事工**，2021 年 2 月 16 日，取自：https://blog.hkccc.org/faithlife47-drime 默劇事工 /

耿一偉（2007）。**動作的文藝復興：現代默劇小史**。台北：黑眼睛文化。

梵谷（2019）。形體戲劇：並非如你想的一樣，**國際演藝評論家協會（香港分會）藝評筆陣**，2019 年 2 月 22 日，取自：https://www.iatc.com.hk/doc/105861

霍達昭（2003）。香港默劇的昨天、今天。**二十一世紀，137**，2013 年 6 月號，106-112。香港中文大學中國文化研究所。

附錄二：1985 至 2020 年在藝穗會演出及由藝穗會主辦的形體劇 *（由最近的製作起排列）

12／2018　《咁抵死經典愛情故事》
Fringe Mime and Movement Laboratory
2018 Shenzhen Fringe Festival

10／2017　*The Death of Fun*《樂於嚇人》
Fringe Mime and Movement Laboratory (30th anniversary production)

9／2017　*24hr Restricted Area*《全日禁區－RE》
Fringe Mime and Movement Laboratory

4／2017　*1/5000 Roses*《1/5000 玫瑰》
Fringe Mime and Movement Laboratory

4／2017　*Sisterhood, Day by day*《姐姐妹妹二三事，有生之年》
Fringe Mime and Movement Laboratory

4／2015　*Shall We Mime*《三人四 Joke》
Fringe Mime and Movement Laboratory

1／2015　*UNO.Fantasia*《一次性・幻想》
Fringe Mime and Movement Laboratory

8／2013　*Chastity Belt*
Peta Lily (UK)

5／2013　*Flower fading and born*《花開花落》
Fringe Mime and Movement Laboratory

10／2012 *The Silly Little Girl and the Funny Old Tree* 《傻姑娘與怪老樹》
Fringe Mime and Movement Laboratory & Quattro Station

10／2011 *Demolition*《愛在夢中遺忘時》
Fringe Mime and Movement Laboratory

12／2010 *Empty Hands*
Theatre Momzit (Korea)

12／2010 Parade and performances
Fringe Mime and Movement Laboratory
2010 Shenzhen Bay International Fringe Festival

1／2010 *Why Not 1.0*《再試何妨 1.0》
Fringe Mime and Movement Laboratory

9／2009 *Scarecrow*《稻草人》
Fringe Mime and Movement Laboratory
2010 Taipei Fringe Festival

8／2009 *A Dialogue on Love: Lin Dai Yu vs Juliet Capulet* 《細說情愛：林黛玉 vs 朱麗葉》
Fringe Mime and Movement Laboratory
Seoul Fringe Festival

4／2009 *Why Not*《一試無妨》
Fringe Mime and Movement Laboratory

8／2008 *Mulan*《花木蘭》
Fringe Mime and Movement Laboratory
Seoul Fringe Festival

10／2007 *Once Upon a Time*《愚公移山》
Fringe Mime and Movement Laboratory

4／2006 *Hug Hug*《抱抱》
Fringe Mime and Movement Laboratory

11／2005 *Winter*《冬》
Fringe Mime and Movement Laboratory

6／2005 *Disembodied*
David Glass Ensemble (UK)

11／2004 *Beautiful Life - More Than Just Tips*
《美麗人生－超值試做版》
Fringe Mime and Movement Laboratory

5／2004 *A Feast in Two Acts*《一雞兩味》
Fringe Mime and Movement Laboratory

7／2003 *You've Got A Dream*《發你個夢》
Fringe Mime and Movement Laboratory

11／2002 *Midriff*
Peta Lily (UK)

7／2002 *A Piece of Heart*《點心》
Fringe Mime and Movement Laboratory

10／2001 *Eccentric Once More*《再發花癲》
Fringe Mime and Movement Laboratory

11／2000 *Hamlet or Die*《王子十一月復仇記》
Fringe Mime and Movement Laboratory

3 ／ 2000 *Flirtatious*《發花癲》
Fringe Mime and Movement Laboratory

1 ／ 1999 *Journey to the West*《西遊記》
Fringe Mime and Movement Laboratory

6 ／ 1996 *Hong Kong Cake Shop*《香港餅店》
Fringe Mime and Movement Laboratory

1 ／ 1996 *Spirit of Spring*《花之仙子》
Fringe Mime and Movement Laboratory

1 ／ 1996 *Lianne & Chuck*《蝶非蝶》
Fringe Club

4 ／ 1995 *Balance of Yin Yang - The Journey of Enlightment*
《陰平陽秘之逍遙遊》
Fringe Mime and Movement Laboratory

9 ／ 1994 *You Can Either Struggle or Die Off*《瘟疫》
Fringe Mime and Movement Laboratory

4 ／ 1994 *Plaque*
Fringe Mime and Movement Laboratory

1 ／ 1993 *Mind Work*《夢行》
Fringe Mime and Movement Laboratory

11 ／ 1992 *Mime in Progress*
Fringe Mime and Movement Laboratory

10 ／ 1992 *Great Expectations*《遠大前程》
Fringe Club & Sydney Theatre Company

7／1992	*Blow Up*《默曙螢流》 Fringe Mime and Movement Laboratory
11／1991	*Lament of Sim Kim*《沈金冤》 Fringe Club
6／1990	*These Tales of Ours*《咱們的故事》 Fringe Mime and Movement Laboratory
1989	*Afternoon of A Desperate Dieter* Ben Wong
香港藝穗節 ' 89	*Mime The Chaplin Obsession* Mark Saunders (UK)
1／1989	*Hauntlooween*《鬼話連篇》 Fringe Mime and Movement Laboratory
香港藝穗節 ' 88	*The Six-Sided Man & Thunderbirds F.A.B.* Mime Theatre Project (UK)
10／1987	*Six Chapters of a Floating Life*《浮生六記》 Fringe Club
2／1987	*Dreams in C Minor*《C 小調之夢》 Les Bubb (UK)
香港藝穗節 ' 86	*Still Kicking* Three Men in the Mime, Impromime
9／1986	*Hong Kong Fable*《言寓香江》 Fringe Club

* 資料由藝穗會提供。

形體大師的心得（下）
及香港形體劇發展多面睇

Mimes on Miming &
Perspectives on Physical Theatre Development in Hong Kong

形體大師的心得（下）・英文原著
編者：芭莉・羅夫 Bari Rolfe
英文初版：1979 年 12 月
出版：Panjandrum / Aris Books
美國版權局註冊號碼 TX0001486752
ISBN：978-0-921845-51-5

譯著：一本・小雪
編輯：陳國慧
執行編輯：楊寶霖、郭嘉棋 *
設計：oiman
承印：新藝域印刷製作有限公司

出版：國際演藝評論家協會（香港分會）有限公司
地址：香港九龍石硤尾白田街 30 號賽馬會創意藝術中心 L3-06C 室
電話：+852 2974 0542
傳真：+852 2974 0592
網址：www.iatc.com.hk
電郵：iatc@iatc.com.hk

出版日期：2021 年 12 月初版
ISBN：978-988-74320-5-0
圖書分類：戲劇、表演藝術
定價：港幣 98 元正

International Association
of Theatre Critics (Hong Kong)
國際演藝評論家協會（香港分會）

資助
Supported by
香港藝術發展局
Hong Kong Arts Development Council

國際演藝評論家協會（香港分會）為藝發局資助團體
IATC(HK) is financially supported by the HKADC

香港藝術發展局全力支持藝術表達自由，本計劃內容並不反映本局意見。
Hong Kong Arts Development Council fully supports freedom of artistic expression.
The views and opinions expressed in this project do not represent the stand of the Council.

* 藝術製作人員實習計劃由香港藝術發展局資助。
The Arts Production Internship Scheme is supported by the Hong Kong Arts Development Council.